HA

D0727009

Parler
le **tchèque**
en voyage

Fjowna Delti

Olga Spevak

HARRAP

Édition publiée en France 2006
par Chambers Harrap Publishers Ltd
7 Hopetoun Crescent
Edinburgh EH7 4AY
Grande-Bretagne

Précédente édition sans carte publiée en 2004

ISBN 0245 50705 1

Rédactrice
Lola Busuttil

Coordination éditoriale
Anna Stevenson

Direction éditoriale
Patrick White

Composition
Vienna Leigh

Dépôt légal : juillet 2005
Maquette et photocomposition :
Chambers Harrap Publishers Ltd, Edinburgh
Impression et reliure : Tien Wah Press (PTE.) LTD., Singapore
Illustrations : Art Explosion

TABLE DES MATIÈRES

INTRODUCTION

Cette toute nouvelle édition du guide de conversation franco-tchèque Harrap est destinée à tous ceux qui souhaitent communiquer avec les habitants lors de leur séjour à l'étranger. Claire, allant à l'essentiel, elle vous aidera à faire les premiers pas pour dépasser la barrière de la langue et entrer en contact avec les gens du pays.

Dans chacune des rubriques, ce guide vous propose une liste de mots utiles ainsi qu'une série de phrases et d'expressions courantes : vous entendrez ou vous lirez certaines d'entre elles, d'autres vous permettront de vous exprimer. Vous vous ferez alors comprendre sans effort grâce à une transcription phonétique très simple, spécialement adaptée à l'utilisateur français.

Avec les quelque 4500 mots du mini-dictionnaire bilingue, les plus curieux pourront compléter ou décliner ces structures élémentaires afin de nouer une conversation.

Des indications sur la culture et les pratiques locales, quelques informations utiles sont là pour vous faire gagner du temps. Réservez vos vacances aux loisirs et à la découverte ! Vous trouverez dans ce guide un lexique gastronomique qui vous aidera à découvrir la cuisine du pays et les principaux plats régionaux.

Maintenant, à vous de jouer !

ABRÉVIATIONS UTILISÉES DANS CE GUIDE

adj	adjectif	*m*	masculin
+*acc*	suivi de l'accusatif	*mpl*	masculin pluriel
+*dat*	suivi du datif	*n*	nom ; neutre
f	féminin	*npl*	neutre pluriel
fpl	féminin pluriel	*pl*	pluriel
+*gén*	suivi du génitif	*sg*	singulier
+*instr*	suivi de l'instrumental	*v*	verbe
+*loc*	suivi du locatif		

PRONONCIATION

Lettre		Prononciation
a	*a*	a
á	*aa*	a long
b	*bé*	b
c	*tsé*	ts comme dans **ts**é**ts**é
č	*tché*	tch comme dans ma**tch**
d	*dé*	d
ď	*dié*	comme dans a**di**eu
e	*è*	è / é
é	*èè*	è long / é long
ě	*yé*	yé comme dans **Yé**men
f	*èf*	f
g	*gué*	g comme dans **g**âteau
h	*Ha*	h (aspiré)
ch	*Ra*	comme le **ch** allemand
i	*i*	i
í	*ii*	i long
j	*yé*	y comme dans **y**o**y**o
k	*ka*	k
l	*èle*	l
m	*ème*	m
n	*ène*	n
ň	*ègne*	gn comme dans di**gne**
o	*o*	o
ó	*oo*	o long
p	*pé*	p

Lettre		Prononciation
q	*kvé*	kv (uniquement dans des mots d'origine étrangère)
r	*ère*	r (roulé)
ř	*èrje*	rj (reje prononcé rapidement, en roulant le r)
s	*èss*	ss (jamais comme le son z de maison)
š	*èch*	ch comme dans **ch**at
t	*té*	t
t'	*tié*	comme dans **ti**ens
u	*ou*	ou
ů/ú	*ou:*	ou long
v	*vé*	v
w	*dvoyité vé*	v (uniquement dans des mots d'origine étrangère)
x	*iks*	iks (uniquement dans des mots d'origine étrangère)
y	*ypsilone*	i
ý	*ii*	i long
z	*zète*	z
ž	*jète*	j comme dans **j**our

Prononciation et intonation

La prononciation tchèque n'est pas très compliquée car elle s'aligne sur l'orthographe. Ainsi, il est important de prononcer chaque lettre : **naučit** se prononce *n-a-ou-tch-i-t*. Les sons nasaux n'existant pas en tchèque, **an** se prononce *ann*, **in** *inn*, **on** *onn*, etc. (pour éviter toute hésitation, **pardon** est par exemple transcrit *pardone* dans ce guide).

Certains sons tchèques n'existant pas en français, nous avons utilisé des codes pour les retranscrire :

H C'est un h aspiré. Prenez une grande inspiration et prononcez comme quand vous dites "hou !" pour effrayer quelqu'un.
Ex : **ahoj** *aHoï*

R Son guttural équivalent au "ch" de "Bach" en allemand, ou à la jota espagnole. Prononcez un r en vous raclant la gorge.
Ex : **bych** *biR*

Les voyelles accentuées **á**, **é**, **í**, **ó**, **ú/ů** et **ý** (respectivement transcrites dans ce guide par *aa*, *éé*, *ii*, *oo*, *ou:* et *ii*) sont des voyelles longues. Veillez à les distinguer des voyelles brèves (**a**, **e**, **i**, **o**, **u**, **y**) car elles peuvent changer la signification du mot. Les lettres **ú** ou **ů** sont de simples variantes graphiques.

Le **e** tchèque se prononce entre le son è et le é français. Il est transcrit **é** dans ce guide.

Le **i** tchèque se prononce moins aigu qu'en français.

Il n'y a aucune différence de prononciation entre un **i** "mouillé" (**mnyékéé i**) et un **y** "dur" (**tvrdéé i**).

La lettre **j** est transcrite soit par *ï* en fin de mot, soit par *y* ou *i*. Le **j** initial du verbe être conjugué (**jsem**, **jsi**, **jsme**…) est souvent à peine prononcé.

Il existe des diphtongues en tchèque : **ou** se prononce comme *o* suivi rapidement de *ou* (transcrit *o-ou*), et **au** comme *a* suivi de *ou* (transcrit *a-ou*).

Certaines lettres se prononcent différemment en fin de mot : **b** se prononce *p* (**Cheb** *Rép*), **d** *t* (**hlad** *hlat*), **g** *k* (**grog** *grok*), **h** *R* (**sníh** *snyiiR*), **v** *f* (**kov** *kof*) et **z** *s* (**obraz** *obras*). De même, certaines consonnes s'adaptent à l'intérieur d'un mot, comme par exemple **kdo** *gdo*.

Contrairement au français, l'accent tonique porte presque toujours sur la première syllabe du mot (*nautchit*, *pardone*). L'accentuation est signalée en gras dans ce guide.

Les Tchèques parlant souvent très vite (surtout en Bohême), n'hésitez pas à demander à votre interlocuteur de répéter.

Les Tchèques se saluent d'un simple geste ou se serrent la main. Ils ne s'embrassent que dans le cadre familial.

Comme en français, le vouvoiement est exprimé par la deuxième personne du pluriel. On l'emploie notamment avec quelqu'un que l'on rencontre pour la première fois.

Le tchèque étant une langue à déclinaisons, n'oubliez pas de mettre le prénom et le nom de famille de la personne à laquelle vous vous adressez au vocatif (voir grammaire p. 179).

Les Tchèques s'appellent toujours entre eux par des diminutifs. Par exemple, une jeune fille qui s'appelle **Kateřina** sera appelée **Katka**, y compris par ses professeurs, tandis que **Kateřina** ne figurera que sur ses papiers officiels.

Il existe deux registres de salutations : lorsqu'on entre dans un magasin, une administration ou qu'on rencontre une personne pour la première fois, on salue en disant **dobré ráno** (bonjour) ou **dobrý večer** (bonsoir) suivant l'heure de la journée, ou bien en disant simplement **dobrý den** (bonjour). Si l'on s'adresse à une personne de son âge que l'on connaît déjà, on peut se contenter de dire **ahoj**. Dans un registre plus familier, les jeunes Tchèques emploient souvent **nazdar** ou **čau**.

FORMULES DE BASE

Pour commencer

au revoir	na shledanou *nasRlédano-ou*
bonjour	dobrý den *dobrii dén*
bonjour *(le matin)*	dobré ráno *dobréé raano*
bonsoir	dobrý večer *dobrii vétschér*
d'accord	dobře *dobrje*
excusez-moi	prominte *promignté*
merci	děkuji *diékouyi*
non	ne *né*
non merci	ne, děkuji *né, diékouyi*
ok	ok *o-oukeï*
oui	ano *ano*
pardon (Monsieur/ Madame)	pardon *pardone*
salut	ahoj *aHoï*
s'il te plaît	prosím tě *prossiime tié*
s'il vous plaît	prosím vás *prossiime vaass*

à bientôt	brzy na shledanou *brzi nasRlédano-ou*
à demain	zítra na shledanou *ziitra nasRlédano-ou*
à plus tard	zatím na shledanou *zatyiime nasRlédano-ou*
bonne nuit	dobrou noc *dobro-ou nots*

S'exprimer

j'aimerais …
rád *(m)*/ráda *(f)* bych …
raate/raada biR …

nous aimerions …
rádi bychom …
raadyi biRome …

je voudrais …
chtěl *(m)*/chtěla *(f)* bych …
Rtiél/Rtiéla biR …

nous voudrions …
chtěli bychom …
Rtiéli biRome …

est-ce que tu veux … ?
chceš …?
Rtséch …?

est-ce que vous voulez … ?
chcete …?
Rtsété …?

où est … ?
kde je …?
gdé yé …?

où sont … ?
kde jsou …?
gdé isso-ou …?

est-ce qu'il y a un(e) … (ici) ?
je tady někde …?
yé tadi niégdé …?

c'est combien ?
kolik to stojí?
kolik to stoyii?

qu'est-ce que c'est ?
co je to?
tso yé to?

quand … ?
kdy …?
gdi …?

comment … ?
jak …?
yak …?

pourquoi … ?
proč …?
protch …?

est-ce que vous parlez français ?
mluvíte francouzsky?
mlouviité franntso-ouski?

comment ça se dit en tchèque ?
jak se to řekne česky?
yak sé to rjékné tchéski?

où sont les toilettes, s'il vous plaît ?
prosím vás, kde jsou toalety?
prossiime vaass, gdé isso-ou toaléti?

comment allez-vous ?
jak se máte?
yak sé maaté?

très bien, merci, et vous-même ?
dobře, děkuji, a vy?
dobrjé, diékouyi, a vi?

salut, ça va ?
ahoj, jak se máš?
aHoï, yak sé maach?

ça va, et toi ?
dobře, a ty?
dobrjé, a ti?

merci beaucoup
mockrát děkuji
motskraate diékouyi

il n'y a pas de quoi
není zač
négnii zatch

je suis (vraiment) désolé
je mi to (opravdu) líto
yé mi to (opravdou) liito

ah bon ?	**merde !**
opravdu?	ksakru!
opravdou?	*ksakrou!*

Comprendre

dámy	toilettes pour femmes
M, muži	toilettes pour hommes
otevřeno	ouvert
páni	toilettes pour hommes
placený	payant
pozor	attention
reservé	réservé
toalety	toilettes
vstup	entrée
vstup zdarma	entrée libre
východ	sortie
zavřeno	fermé
zákaz	défense de …
zdarma	gratuit
Ž, ženy	toilettes pour femmes
je …	**vítám vás**
il y a …	bienvenue
nevadí, když …?	**moment, prosím**
ça vous dérange si … ?	un moment, s'il vous plaît
posaďte se, prosím	
asseyez-vous, je vous en prie	

PROBLÈMES DE COMPRÉHENSION

S'exprimer

vous pouvez répéter ?	**je ne comprends pas**
můžete to říct ještě jednou?	nerozumím
mou:jété to rjitst yéchtié yédno-ou?	*nérozoumiime*

est-ce que vous pourriez parler plus lentement ?
můžete mluvit pomaleji?
mou:jété mlouvite pomaléyi?

je comprends un petit peu
rozumím jen trochu
rozoumiime yén troRou

je ne comprends rien
vůbec nerozumím
vou:bets nérozoumiime

je n'ai pas compris
nerozuměl *(m)*/nerozuměla *(f)* jsem
nérozoumniél/nérozoumniéla ssém

j'arrive à comprendre le tchèque mais je ne peux pas le parler
česky rozumím, ale neumím mluvit
tchéski rozoumiime, alé néoumiime mlouvite

je parle à peine le tchèque
česky ještě moc neumím
tchéski yéchtié mots néoumiime

j'ai du mal à comprendre/parler
rozumím/mluvím s obtížemi
rozoumiime/mlouviime soptijémi

est-ce que vous parlez français ?
mluvíte francouzsky?
mlouviité franntso-ouski?

pardon ?	**quoi ?**	**hein ?**
prosím?	co?	hm?
prossiime?	*tso?*	*Hm?*

comment est-ce qu'on dit ... en tchèque ?
jak se řekne česky ...?
yak sé rjékné tchéski ...?

comment ça s'écrit ?
jak se to píše?
yak sé to piiché?

comment on appelle ça ?
jak se tomu říká?
yak sé tomou rjiikaa?

est-ce que vous pourriez l'écrire ?
mohl *(m)*/mohla *(f)* byste to napsat?
moHl/moHla bisté to napsate?

qu'est-ce qui se passe ?
co se děje?
tso sé diéyé?

Comprendre

rozumíte česky?
est-ce que vous comprenez le tchèque ?

píše se to ...
ça s'écrit ...

to znamená ...
ça veut dire ...

to je něco jako ...
c'est une sorte de ...

PARLER DE LA LANGUE

S'exprimer

j'ai appris quelques mots avec un bouquin
naučil (m)/naučila (f) jsem se pár slov z knížky
naoutchil/naoutchila ssém sé paar slof sknyiijki

je me débrouille à peu près
domluvím se
domlouviime sé

je ne sais presque rien
neumím skoro nic
néoumiime skoro nits

il y a des sons difficiles à prononcer
některé hlásky se špatně vyslovují
niéktéréé Hlaaski sé chpatné vislovouyii

je connais les bases mais pas plus
mám základy, ale nic víc
maame zaakladi, alé nits viits

je trouve ça difficile
zdá se mi to těžké
zdaa sé mi to tiéjkéé

ça ressemble pas mal au russe
podobá se to ruštině
podobaa sé to rouchtyinié

ça aide de connaître un peu de polonais
umět trochu polsky, to pomůže
oumiète troRou polski, to pomou:jé

les gens parlent tellement vite
lidi mluví tak rychle
lidyi mlouvii tak riRlé

Comprendre

mluvíte téměř bez přízvuku
vous n'avez presque pas d'accent

mluvíš moc dobře
tu parles très bien

myslím, že ti to jde dobře
je trouve que tu te débrouilles très bien

DEMANDER SON CHEMIN

S'exprimer

excusez-moi, où est ..., s'il vous plaît ?
promiňte, kde je ... , prosím vás?
promigdé, gdé yé ..., prossiime vaass?

..., c'est par où ?
jak se dostanu na/do ...?
yak sé dostanou na/do ...?

je cherche ...
hledám ...
Hlédaame ...

est-ce que vous pouvez me dire comment aller à ... ?
můžete mi říct, jak se dostanu na/do ...?
mou:jété mi rjiitst, yak sé dostanou na/do ...?

quelle est la route pour ... ?
kudy mám jet na/do ...?
koudi maame yéte na/do ...?

c'est loin ?
je to daleko?
yé to daléko?

est-ce que vous pourriez me montrer sur le plan ?
mohl (m)/mohla (f) byste mi to ukázat na mapě?
moHl/moHla bisté mi to oukaazate na mapié?

est-ce qu'il y a un plan de la ville quelque part ?
je tady někde plán města?
yé tadi niégdé plaane mniésta?

je suis complètement/un peu perdu
vůbec/moc se tu nevyznám
vou:bets/mots sé tou névíznaame

je crois que je me suis trompé(e)
myslím, že jsem se spletl (m)/spletla (f)
misliime, jé issém sé splétl/splétla

je me suis perdu(e)
zabloudil (m)/zabloudila (f) jsem
zablo-oudil/zablo-oudila ssém

Comprendre

jet	aller (en voiture)
jít	aller (à pied)
jít zpátky	faire demi-tour (à pied)
otočit se	faire demi-tour (en voiture)
pokračovat	continuer
sledovat	suivre
stále rovně	tout droit
vlevo	à gauche
vpravo	à droite
zahnout	tourner

jste tu pěšky, nebo autem?
vous êtes à pied ou en voiture ?

je to pět minut pěšky/autem
c'est à 5 minutes à pied/en voiture

je to druhá ulice vpravo
c'est la deuxième rue à droite

je to příští odbočka
prenez la prochaine sortie

je to první ulice vlevo za semaforem
prenez la première rue à gauche après le feu

jeďte/pokračujte stále rovně až k velké bílé budově
allez/continuez tout droit jusqu'à un grand bâtiment blanc

je to docela blízko/dost daleko/poblíž
c'est tout près/assez loin/dans le coin

je to tady/hned za křižovatkou
c'est juste là/après le carrefour

uvidíte, je tam nápis
vous verrez, c'est indiqué

už tam budete, vidíte tu zelenou značku, je to naproti
vous y êtes presque, vous voyez le panneau vert, c'est en face

jeďte za mnou, dovezu vás tam
suivez-moi, je vais vous y conduire

FAIRE CONNAISSANCE ET BAVARDER

Pour commencer

adorer	zbožňovat *zbojgnovate*
aimer	mít rád (m)/ráda (f) *miite raate/raada*
beau	krásný *kraasnii*
bien	dobře *dobrje*
bon marché	levný *lévnii*
cher	drahý *draHii*
détester	nemít rád (m)/ráda (f) *némiite raate/raada*
intéressant	zajímavý *zayiimavii*
magnifique	úžasný *ou:jasnii*
nul	nic moc *nits mots*
ok	ok *o-ou*keï
pas mal	dobrý *dobrii*
super	skvělý *skviéli*
très bien	výborně *viibornié*
vacances	prázdniny *praazdgnini*

SE PRÉSENTER, PARLER DE SOI

S'exprimer

je m'appelle …, et toi ?
jmenuji se…, a ty?
iménouyi sé…, a ti?

… et vous ?
… a vy?
… a vi?

comment t'appelles-tu ?
jak se jmenuješ?
yak sé iménouyéch ?

comment vous appelez-vous ?
jak se jmenujete?
yak sé iménouyété?

tu es d'ici ?
jsi odsud?
issi otsoute?

vous êtes d'ici ?
jste odsud?
isté otsoute?

je te présente …
představuji ti …
prjétstavouyi tyi …

je vous présente …
představuji vám …
prjétstavouyi vaame …

15

(enchanté,) moi c'est …
(těší mě,) já jsem …
(tiéchii mnié,) yaa issém …

je viens de …
jsem z …
issém z …

je suis français
jsem Francouz
issém franntso-ouze

je suis française
jsem Francouzka
issém franntso-ouska

quel âge as-tu ?
kolik je ti let?
kolik yé tyi léte?

quel âge avez-vous ?
kolik je vám let?
kolik yé vaame léte?

j'ai 22 ans
je mi dvacet dva let
yé mi dvatséte dva léte

tu es étudiant ?
studuješ?
stoudouyéch?

qu'est-ce que vous faites dans la vie ?
jaké je vaše zaměstnání?
yakéé yé vaché zamgniéstnaagnii?

je travaille
pracuji
pratsouyi

je suis prof
jsem profesor *(m)*/profesorka *(f)*
issém professor/professorka

je fais des études d'économie
studuji ekonomii
stoudouyi ékonomii

je suis à la retraite
jsem v důchodu
issém vdou:Rodou

tu travailles dans quoi ?
kde pracuješ?
gdé pratsouyéch?

vous travaillez dans quoi ?
kde pracujete?
gdé pratsouyété?

je travaille dans le marketing
pracuji v oblasti marketinku
pratsouyi foblastyi markétinnkou

moi aussi
já taky
yaa taki

j'ai deux enfants, un de 3 ans et l'autre de 9 ans
mám dvě děti, jednomu jsou tři roky a druhému devět let
maame dvié diétyi, yédnomou isso-ou trji roki a drouHéémou déviéte léte

ils ont quel âge ?
kolik je jim let?
kolik yé yime léte?

est-ce que vous êtes déjà allé(e) en France ?
už jste byl *(m)*/byla *(f)* ve Francii?
ouch isté bil/bila vé franntsii?

Comprendre

jste Francouz?
vous êtes français ?

mám ve Francii příbuzné
j'ai de la famille en France

moc rád bych poznal *(m)*/**poznala** *(f)* **Paříž**
j'aimerais beaucoup connaître Paris

Francii znám dobře
je connais bien la France

máme tady dům na léto
nous avons une maison ici pour l'été

PARLER DE SON SÉJOUR

S'exprimer

je suis arrivé(e) il y a trois jours
přijel *(m)*/přijela *(f)* jsem před třemi dny
prjiyél/prjiyéla ssém prjéte trjémi dni

on est arrivés il y a trois jours
přijeli jsme před třemi dny
prjiyéli smé prjéte trjémi dni

je ne suis ici que pour trois jours
jsem tu jen na tři dny
issém tou yén na trji dni

nous ne sommes ici que pour trois jours
jsme tu jen na tři dny
ismé tou yén na trji dni

c'est notre lune de miel
jsou to naše líbánky
issou to naché liibaanki

c'est la première fois que je viens
jsem tady poprvé
issém tadi poprvéé

je suis seulement de passage ici
jen tudy projíždím
yén toudi proyiijdiime

on est venus pour notre anniversaire de mariage
přijeli jsme na výročí naší svatby
prjiyéli smé na viirotchii nachii svadbi

je suis venu rejoindre des amis
přijel jsem za přáteli
prjiyél ssém za prjaatéli

on est venus rejoindre des amis
přijeli jsme za přáteli
prjiyéli smé za prjaatéli

je suis en vacances
jsem na prázdninách
issém na praazdgninaaR

nous sommes en vacances
jsme na prázdninách
ismé na praazdgninaaR

je suis ici pour mon travail
jsem tu pracovně
issém tou pratsovnié

je suis venu avec une amie
přijel jsem s přítelkyní
prjiyél ssém sprjiitélkignii

je visite la région
prohlížím si kraj
proHliijiime si kraï

nous visitons la région
prohlížíme si kraj
proHliijiimé si kraï

on m'a conseillé d'aller à ...
poradili mi jet ...
poradyili mi yéte ...

j'ai l'intention d'aller à ...
mám v úmyslu jet ...
maame fou:mislou yéte ...

Comprendre

hezký zbytek pobytu!
bonne fin de séjour !

hodně štěstí!
bonne chance !

někdy příště!
à une prochaine !

jste tu poprvé?
c'est la première fois que vous venez ici ?

jak dlouho jste tady?
ça fait combien de temps que tu es ici ?

líbí se vám to?
ça vous plaît ?

hezké prázdniny
passez de bonnes vacances

už jste navštívil *(m)/***navštívila** *(f)***?**
vous avez déjà été visiter ... ?

GARDER CONTACT

S'exprimer

on reste en contact ?
zůstaneme v kontaktu?
zou:stanémé fkontaktou?

je peux te donner mon adresse e-mail
můžu ti dát e-mailovou adresu
mou:jou tyi daate é-meïlovo-ou adréssou

voilà mes coordonnées en France, si vous passez un jour
tady je moje adresa a telefon do Francie, jestli budete mít někdy cestu
tadi yé moyé adréssa a téléfone do franntsié, yéstli boudété miite niégdi tséstou

Comprendre

dáš mi adresu?
tu me donnes ton adresse ?

máte e-mailovou adresu?
est-ce que vous avez une adresse e-mail ?

jste vždy vítáni
vous êtes toujours les bienvenus

ÉCHANGER SES IMPRESSIONS

S'exprimer

c'est une bonne idée, pourquoi pas ?
to je dobrý nápad, proč ne?
to yé dobrii naapate, protch né?

c'est génial
to je úžasné
to yé ou:jasnéé

c'était génial
bylo to úžasné
bilo to ou:jasnéé

j'aime beaucoup ...
mám moc rád *(m)*/ráda *(f)* ...
maame mots raate/raada ...

j'ai beaucoup aimé ...
moc se mi líbilo ...
mots sé mi liibilo ...

je n'aime pas beaucoup …
nemám moc rád *(m)*/ráda *(f)* …
némaame mots raate/raada …

est-ce que c'est dangereux de … ?
je nebezpečné …?
yé nébéspetchnéé …?

j'aimerais bien…/j'aurais bien aimé …
rád *(m)*/ráda *(f)* bych …
raate/raada biR …

j'adore …
zbožňuji …
zbojgnouyi …

ça me plaît
to se mi líbí
to sé mi liibii

je trouve ça …
zdá se mi to …
zdaa sé mi to …

j'ai trouvé ça …
zdálo se mi to …
zdaalo sé mi to …

je suis d'accord
nesouhlasím
nésso-ouHlassiime

je ne suis pas d'accord
nesouhlasil *(m)*/nesouhlasila *(f)* jsem
nésso-ouHlassil/nésso-ouHlassila ssém

je ne sais pas
nevím
néviime

ça m'est égal
je mi to jedno
yé mi to yédno

ça ne me dit pas trop
to mě neláká
to mnié nélaakaa

ça m'énerve
leze mi to na nervy
lézé mi to na nervi

c'est de l'arnaque
to je podvod
to yé podvot

c'est un attrape-touristes
to je past na turisty
to yé past na touristi

c'est très animé le soir
večer je tam živo
vétchér yé tame jivo

on s'est bien amusés
dobře jsme se bavili
dobrjé issmé sé bavili

il y a trop de monde
je tu moc lidí
yé tou mots lidyii

il y avait beaucoup de monde
bylo tam hodně lidí
bilo tame Hodnié lidyii

ça a un drôle de goût
chutná to divně
Routnaa to divnié

je me suis ennuyé(e) à mourir
strašně jsem se nudil *(m)*/nudila *(f)*
strachnié issém sé noudil/noudila

je n'ai pas compris grand-chose
skoro ničemu jsem nerozuměl *(m)*/nerozuměla *(f)*
skoro gnitchémou issém nérozoumgniél/nérozoumgniéla

il y avait une super bonne ambiance
byla tam skvělá atmosféra
bila tame skviélaa atmosfééra

j'ai rencontré des gens très sympas
potkal *(m)*/potkala *(f)* jsem velmi sympatické lidi
potkal/potkala ssém velmi simmpatitskéé lidyi

on a trouvé un petit hôtel très sympa
našli jsme příjemný hotel
nachli smé prjiiyémnii Hotél

Comprendre

Quelques expressions familières

byla to nuda c'était nul
to mě štve c'est chiant
bylo to super on s'est bien éclaté

---

máš rád *(m)*/**ráda** *(f)* **...?**
est-ce que tu aimes … ?

mohli bychom ...
on pourrait …

chceš ...?
ça te dit de … ?

což takhle ...?
et si on … ?

líbilo se ti to?
ça t'a plu ?

to není nic zvláštního
ça n'a rien d'exceptionnel

je to překrásný kraj
c'est une très belle région

měli byste tam jet
vous devriez y aller

stojí to za to tam jet
ça vaut le détour

je lépe tam jet v týdnu, je tam méně lidí
il vaut mieux y aller en semaine, il y a moins de monde

určitě musíte ochutnat ...
il faut absolument que vous goûtiez …

PARLER DU TEMPS QU'IL FAIT

S'exprimer

quelles sont les prévisions météo pour demain ?
jaká je na zítra předpověď počasí?
yakaa yé na ziitra prjédpoviétyi potchassii?

il va faire mauvais
bude ošklivo
boudé ochklivo

il va faire beau
bude hezky
boudé Hésky

quel sale temps !
tak ošklivé počasí!
tak ochklivéé potchassii!

quelle belle journée, hein ?
krásný den, že?
kraasnii dén, jé?

il a fait un temps magnifique
je nádherné počasí
yé naadHérnéé potchassii

on a de la chance avec le temps
máme štěstí na počasí
maamé chtiéstyii na potchassii

il fait vraiment chaud
je opravdu horko
yé oprafou Horko

il fait trop chaud
je vedro
yé védro

Comprendre

> **Quelques expressions familières**
> **je zima, že by ani psa nevyhnal** il fait un froid de canard
> **je horko k padnutí** il fait une chaleur à crever
> **je psí počasí** un temps pourri
> **je tu zima jako v márnici** on crève de froid ici
> **leje jako z konve** il pleut des cordes

asi bude pršet
il risque de pleuvoir

na celý týden předpovídají krásné počasí
ils ont prévu du beau temps pour toute la semaine

VOYAGER, SE DÉPLACER

Pour commencer

aéroport	letiště *létyichtié*
aller-retour *(billet)*	zpáteční jízdenka *spaatétchgnii yiizdénka*
aller simple *(billet)*	jízdenka tam *yiizdénka tame*
arrêt de bus	autobusová zastávka *a-outoboussovaa zastaafka*
autoroute	dálnice *daalgnitsé*
avion	letadlo *létadlo*
bagages	zavazadla *zavazadla*
bateau	loď *lotie*
billet *(de train)*	jízdenka *yiizdénka*
billet *(d'avion)*	letenka *léténka*
bus	autobus *a-outobouss*
car	autobus *a-outobouss*
carte	mapa *mapa*
centre-ville	centrum *tséntroume*
consigne	úschovna *ou:sRovna*
embarquement	nástup *naastoupe*
enregistrement	odbavení *otbavégnii*
ferry	trajekt *trayékte*
gare	nádraží *naadrajii*
gare routière	autobusové nádraží *a-outoboussovéé naadrajii*
horaires	jízdní řád *yiizdgnii rjaate*
louer *(voiture)*	vypůjčit si *vipou:ïtchite si*
métro	metro *métro*
navette	kyvadlová doprava *kivadlovaa doprava*
passeport	cestovní pas *tséstovgnii pass*
plan	plán *plaane*
porte	brána *braana*
quai	nástupiště *naastoupichtié*
réserver	rezervovat *rézervovate*
route	cesta *tsésta*
rue	ulice *oulitsé*
station de métro	stanice metra *stagnitsé métra*

taxi	taxi *taxi*
terminal	terminál *términaal*
ticket	jízdenka *yiizdénka*
train	vlak *vlak*
tramway	tramvaj *tramvaï*
voiture	auto *a-outo*
vol	let *léte*

S'exprimer

où est-ce que je peux acheter des billets ?
kde si můžu koupit lístky?
gdé si mou:jou ko-oupite liistki?

un billet pour ...
lístek do/na ...
liisték do/na ...

combien coûte un billet pour ... ?
kolik stojí lístek do/na ...?
kolik stoyii liisték do/na ...?

je voudrais réserver un billet
chtěl *(m)*/chtěla *(f)* bych si rezervovat lístek
Rtiél/Rtiéla biR si rézervovate liisték

est-ce qu'il y a des réductions pour les étudiants ?
máte slevy pro studenty?
maaté slévi pro stoudénti?

est-ce que vous auriez un dépliant avec les horaires ?
měl *(m)*/měla *(f)* byste jízdní řád?
mniél/mniéla bisté yiizdgnii rjaate?

est-ce qu'il vous reste des places pour ... ?
máte ještě lístky do/na?
maaté yéchtié liistki do/na?

il n'y en a pas plus tôt/tard ?
nešlo by to dříve/později?
néchlo bi to drjiivé/pozdiéyi?

combien de temps dure le voyage ?
jak dlouho trvá cesta?
yak dlo-ouHo trvaa tsésta?

est-ce que cette place est libre ?
je tohle místo volné?
yé toHlé miisto volnéé?

désolé, il y a déjà quelqu'un
je mi líto, někdo tu sedí
yé mi liito, niégdo tou sédyii

Comprendre

Déchiffrer les abréviations

Hl. n. = Hlavní nádraží (gare centrale)
M = Metro (métro)

informace	renseignements
odjezdy	départs *(trains)*
odlety	départs *(avions)*
příjezdy	arrivées *(trains)*
přílety	arrivées *(avions)*
spojení	correspondances
toalety	toilettes
toalety muži	toilettes pour hommes
toalety ženy	toilettes pour femmes
vchod	entrée
vstup zakázán	entrée interdite
východ	sortie
zpožděno	retardé
zrušeno	annulé

obsazeno
tout est complet

EN AVION

ⓘ

Prague est à environ 1h30 d'avion de Paris. Un passeport est nécessaire. Il y a toujours deux douaniers avant de sortir. Ils peuvent vous contrôler, et souvent vous redemandent vos papiers et vous demandent d'ouvrir vos bagages.

S'exprimer

où est l'enregistrement des bagages pour Air France ?
kde se podávají zavazadla pro Air France?
gdé se podaavayii zavazadla pro ér franss?

une valise et un bagage à main
kufr a příruční zavazadlo
koufre a prjiiruchgnii zavazadlo

à quelle heure embarque-t-on ?
v kolik hodin bude nástup do letadla?
fkolik Hodyine boudé naastoupe do létadla?

je voudrais confirmer mon vol de retour
chtěl *(m)*/chtěla *(f)* bych potvrdit zpáteční cestu
Rtiél/Rtiéla biR potvrdyite spaatéchgnii tséstou

il me manque une valise
chybí mi jeden kufr
Ribii mi yédén koufre

l'avion a eu 2 heures de retard
letadlo mělo dvě hodiny zpoždění
létadlo mniélo dvié Hodyini spojdégnii

mes bagages ne sont pas arrivés
nedostal *(m)*/nedostala *(f)* jsem zavazadla
nédostal/nédostala ssém zavazadla

j'ai raté ma correspondance
zmeškal *(m)*/zmeškala *(f)* jsem spojení
zméchkal/zméchkala ssém spoyégnii

j'ai oublié quelque chose dans l'avion
něco jsem v letadle zapomněl *(m)*/zapomněla *(f)*
niétso issém vlétadlé zapomniél/zapomniéla

je voudrais faire une déclaration de perte pour mes bagages
chtěl *(m)*/chtěla *(f)* bych oznámit ztrátu zavazadel
Rtiél/Rtiéla biR oznaamite straatu zavazadel

Comprendre

celnice   douane
nic k proclení   rien à déclarer
odbavovací hala   salle d'embarquement

VOYAGER, SE DÉPLACER

okamžitý nástup	embarquement immédiat
podání zavazadel	enregistrement des bagages
výdej zavazadel	retrait des bagages
zboží k proclení	marchandises à déclarer

počkejte si v odbavovací hale
veuillez patienter dans la salle d'embarquement

místo u okénka, nebo v chodbě?
une place côté hublot ou côté couloir ?

kolik máte zavazadel?   **musíte přestoupit v ...**
combien de bagages avez-vous ?   vous avez une correspondance à …

tady je váš nástupní lístek   **máte nadváhu 15 kilo**
voilà votre carte d'embarquement   vous avez un excédent de 15 kilos

jděte k bráně číslo ...
veuillez vous rendre à la porte …

**zavolejte na toto číslo a zeptejtese, jestli vaše zavazadla
dorazila**
appelez ce numéro pour savoir si vos bagages sont arrivés

EN TRAIN, CAR, BUS, MÉTRO, TRAMWAY

Dans certaines villes, telles que Plzeň ou Brno, il y a encore des trolleybus.

Pour le métro, le bus ou le tramway, un seul ticket suffit. Attention, il existe plusieurs types de tickets : le ticket classique à 12 couronnes (**jízdenka přestupní**) vous permet de changer, et est valable 60 minutes les jours ouvrés et 90 minutes les week-end, jours fériés et après 20h. Si vous n'avez pas besoin de changer, vous pouvez acheter un ticket simple. Les tickets s'achètent dans les bureaux de tabac (**trafika**), les kiosques ou les stations de métro. À Prague, il y a trois lignes de métro (A, B, C), chacune correspondant à une couleur. Les métros sont assez fréquents et circulent entre 5h et minuit. En outre, les services de nuit (bus, tramway) sont assez bien assurés. Dans les transports en commun, les contrôleurs tchèques sont souvent en civil et vous montrent une petite plaque de métal qui vous permet de les identifier.

Les réseaux ferroviaire et d'autocars sont assez développés.

Le car est meilleur marché. Attention, même s'il n'y a plus de place assises, le chauffeur continue de prendre des passagers. Il est toujours préférable d'arriver au moins une demi-heure avant le départ.

On achète son billet de train pour X kms. Par conséquent, si vous changez d'itinéraire, le contrôleur vous fait payer un nouveau billet pour les kilomètres supplémentaires parcourus. Il existe deux types de trains, les **rychlík** (express) et les trains classiques. Le prix du billet est exactement le même. Sachez que les trains tchèques ont souvent du retard. Ce qui n'est pas un problème si vous avez une correspondance à prendre car elles sont également en retard. Les billets de train s'achètent à la gare, au guichet si c'est une petite gare, ou au distributeur si c'est une gare plus importante.

Les tarifs en taxi sont aléatoires et pour éviter d'avoir une mauvaise surprise à l'arrivée, il est préférable de se mettre préalablement d'accord sur le prix de la course.

S'exprimer

est-ce que je peux avoir un plan du métro ?
nemĕl *(m)*/nemĕla *(f)* byste plán metra?
némniél/némniéla bisté plaane métra?

à quelle heure est le prochain train pour … ?
v kolik hodin jede nejbližší vlak do/na …?
fkolik Hodyine yédé néiblichii vlak do/na …?

à quelle heure part le dernier train ?
v kolik hodin jede poslední vlak?
fkolik Hodyine yédé poslédgnii vlak?

de quel quai part le train pour … ?
z kterého nástupiště jede vlak do/na …?
sktérééHo naastoupichtié yédé vlak do/na …?

où est-ce que je peux prendre un bus pour … ?
kde mám nastoupit do autobusu do/na ...?
gdé maame nasto-oupite do a-outoboussou do/na ...?

quelle ligne de bus dois-je prendre pour … ?
kterým autobusem se dostanu do/na ...?
ktériime a-outoboussém sé dostanou do/na ...?

c'est bien l'arrêt pour … ?
jsem správně na zastávce směrem do/na ...?
issém spraavgnié na zastaaftsé smiérém do/na ...?

c'est bien d'ici que part le car pour … ?
autobus do ... odjíždí odtud?
a-outobouss do ... odyiijdyii odtoute?

pourriez-vous me dire quand il faut descendre ?
mohl (m)/mohla (f) byste mi říct, kde mám vystoupit?
moHl/moHla bisté mi rjiits, gdé maame viisto-oupite?

Comprendre

denní	pour la journée
měsíční	mensuel
nástupiště	accès aux quais
pokladna	billetterie
rezervace	réservations
týdenní	hebdomadaire

zastávka je kousek dál vpravo
il y a un arrêt juste un peu plus loin à droite

připravte si drobné, prosím
faites l'appoint, s'il vous plaît

musíte přestoupit v/na ...
vous avez un changement à …

musíte jet autobusem číslo ...
vous devez prendre le bus n°…

tento vlak staví v ...
ce train dessert les gares de …

na třetí zastávce
dans 2 arrêts

EN VOITURE

Votre permis français est valable en République tchèque. Si vous prenez l'autoroute (**dálnice**), vous devrez acheter une vignette (**známka**) dans une station-service (**čerpací stanice** ou **benzínová pumpa**) ou à la poste. Suivant la durée de votre séjour, vous pouvez l'acheter à la semaine, au mois ou à l'année. Vous la collerez sur votre pare-brise et conserverez le deuxième volet avec vos papiers.

Il est préférable de garer sa voiture dans un parking, surtout à Prague. Il y a trois grands parkings à l'entrée de Prague, tous les trois proches d'une bouche de métro. Ils sont bon marché et sont ouverts toute la nuit.

Si vous buvez, sachez qu'il ne vous est pas permis de prendre le volant : tolérance zéro d'alcoolémie.

S'exprimer

où est-ce que je peux trouver une station-service ?
kde najdu čerpací stanici?
gdé naïdou tchérpatsii stagnitsi?

le plein de sans-plomb, s'il vous plaît
plnou nádrž naturálu (bezolovnatého benzínu), prosím
plno-ou naadrje natouraalou (bésolovnatééHo bénziinou), prossiime

on a été bloqués dans un embouteillage
zůstali jsme stát v zácpě
zou:stali smé staate vzaatspié

est-ce qu'il y a un garage par ici ?
je tady někde autoopravna?
yé tadi niégdé a-outo-opravna?

pourriez-vous m'emmener à la station-service la plus proche ?
mohl *(m)*/mohla *(f)* byste mě zavést k nejbližší čerpací stanici?
moHl/moHla bisté mnié zavéést knéiblichii tchérpatsii stagnitsi?

la batterie est morte
došla mi baterie
dochla mi batérié

je suis tombé en panne
mám poruchu
maame porouRou

j'ai crevé
píchl *(m)*/píchla *(f)* jsem
piiRl/piiRla ssém

nous sommes en panne d'essence
došel nám benzín
dochél naame bénziine

ça va prendre combien de temps à réparer ?
jak dlouho bude trvat oprava?
yak dlo-ouHo boudé trvate oprava?

♦ Location de voiture

je voudrais louer une voiture pour une semaine
chtěl *(m)*/chtěla *(f)* bych si vypůjčit auto na týden
Rtiél/Rtiéla biR si viipou:itchite a-auto na tiidén

une voiture à boîte de vitesses automatique
auto s automatickým řazením
a-outo sa-outomatitskiime rjazégniime

je voudrais prendre une assurance tous risques
chtěl *(m)*/chtěla *(f)* bych uzavřít havarijní pojištění
Rtiél/Rtiéla biR ouzavrjiite Havariignii poyichtiégnii

♦ En taxi

je voudrais aller à ...
chtěl *(m)*/chtěla *(f)* bych jet do/na ...
Rtiél/Rtiéla biR yéte do/na ...

vous pouvez m'arrêter ici, merci
tady mi zastavte, prosím
tadi mi zastafté, prossiime

je voudrais un taxi pour 8 heures
chtěl *(m)*/chtěla *(f)* bych taxi na osmou hodinu
Rtiél/Rtiéla biR taxi na osmo-ou Hodyinou

combien ça va me coûter pour aller à l'aéroport ?
kolik to bude stát na letiště?
kolik to boudé staat na létichtié?

♦ En auto-stop

je vais à ...
jedu do/na ...
yédou do/na ...

est-ce que vous pourriez me déposer ici ?
mohl *(m)*/mohla *(f)* byste mi zastavit tady?
moHl/moHla bisté mi zastavite tadi?

on est venus en stop
přijeli jsme stopem
prjiyéli smé stopém

merci de m'avoir emmené
děkuji za svezení
diékouyi za svézégnii

Comprendre

obsazeno	complet
parkoviště	parking
půjčovna aut	location de voitures
uschovejte lístek	conservez votre ticket
zákaz stání	stationnement interdit
zpomalte	ralentissez

potřebuji váš řidičský průkaz a vaši kreditní kartu
il me faut votre permis de conduire et votre carte de crédit

dobrá, nastuptesi, dovezu vás až do/na ...
c'est bon, montez, je vais vous avancer jusqu'à ...

HÉBERGEMENT

Les mois de novembre, janvier et février sont les moins chers et les moins touristiques mais aussi les plus froids ! Les hôtels sont classés par étoiles comme en France. Vous pouvez réserver par téléphone, fax ou Internet. Les hôteliers tchèques parlent un peu d'anglais ou d'allemand. À votre arrivée, vous devrez remplir un formulaire correspondant à ce qui est inscrit dans votre passeport. Si vous décidez de régler par carte bancaire, l'hôtelier prend l'empreinte de votre carte puis il l'annule à votre départ dès que vous vous êtes acquitté de votre paiement. Les prix sont toujours indiqués toutes taxes comprises et comprennent le petit déjeuner.

Les auberges de jeunesse ou la location d'un appartement sont souvent la solution la moins chère. Vous trouverez des adresses à l'office de tourisme ou dans les halls de gare.

Les Tchèques font volontiers des échanges d'appartement (le vôtre en France contre le leur en République tchèque par exemple).

Il y a également de nombreux campings.

Pour commencer

appartement	byt *bite*
auberge de jeunesse	ubytovna pro mládež *ou*bitovna *pro mlaadéch*
avec cuisine	s kuchyní *skou*Rignii
avec douche	se sprchou *sé sprRo-ou*
bain	vana *vana*
camping	kemping *ké*mpink
caravane	karavan *karavane*
chambre double	dvojlůžkový pokoj *dvoï*lou:chkovii *pokoï*
chambre pour une personne	jednolůžkový pokoj *yé*dnolou:chkovii *pokoï*
clé	klíč *kliitch*
demi-pension	polopenze *polopénzé*
douche	sprcha *sprRa*

HÉBERGEMENT

33

hôtel	hotel *Hotél*
lit double	dvojlůžko *dvoïlou:chko*
lit pour une personne	jednolůžko *yédnolou:chko*
locataire	nájemník *naayémgniik*
louer	pronajmout *pronaïmo-oute*
maison	dům *dou:me*
pension complète	plná penze *plnaa pénzé*
petit déjeuner compris	se snídaní *sé sgniidagnii*
prix par personne	cena za osobu *tséna za ossobou*
propriétaire	majitel *mayitél*
réserver	rezervovat *rézervovate*
télévision avec	satelitní/kabelová televize
satellite/cable	*satélitgnii/kabélovaa télévizé*
tente	stan *stane*
toilettes	toalety *toaléti*
tout compris	v ceně *ftsénié*

S'exprimer

est-ce que vous pouvez m'écrire l'adresse ?
můžete mi napsat adresu?
mou:jété mi napsate adréssou?

où peut-on faire les courses dans le coin ?
kde se tady dá nakupovat?
gdé sé tadi daa nakoupovate?

comment marche la douche ?
jak funguje sprcha?
yak foungouyé sprRa?

est-ce qu'il serait possible de rester une autre nuit ?
bylo by možné zůstat ještě jednu noc?
bilo bi mojné zou:state yéchtié yédnou nots?

vous acceptez les cartes de crédit ?
můžu platit kreditní kartou?
mou:jou platyite kréditgnii karto-ou?

j'ai réservé (par téléphone) ... au nom de ...
rezervoval *(m)*/rezervovala *(f)* jsem (po telefonu) ... na jméno ...
rézervoval/rézervovala ssém (po téléfonou) ... na iméno ...

Comprendre

dvoulůžkový pokoj	chambre double
jednolůžkový pokoj	chambre pour une personne
koupelna	salle de bains
nepovolaným vstup zakázán	privé
obsazeno	complet
pokoj s koupelnou	chambre avec salle de bains
recepce	réception
s kuchyní	avec cuisine
volné pokoje	chambres libres

můžete mi ukázat pas?
est-ce que je peux voir votre passeport ?

můžete vyplnit tento lístek?
est-ce que vous pouvez remplir cette fiche ?

HÔTEL ET CHAMBRE D'HÔTES

S'exprimer

je voudrais réserver une chambre pour 2 personnes pour demain soir
chtěl *(m)*/chtěla *(f)* bych rezervovat pokoj pro dvě osoby na zítra večer
Rtiél/Rtiéla biR rézervovate pokoï pro dvié ossobi na ziitra vétchér

je voudrais réserver 2 chambres individuelles pour 3 nuits
chtěl *(m)*/chtěla *(f)* bych rezervovat dva jednolůžkové pokoje na tři noci
Rtiél/Rtiéla biR rézervovate dva yédnolou:jkovéé pokoyé na trji notsi

est-ce qu'il vous reste des chambres de libres ?
máte ještě volné pokoje?
maaté yéchtié volnéé pokoyé?

une chambre pas chère pour une personne
levný pokoj pro jednu osobu
lévni pokoï pro yédnou ossobou

c'est pour un couple et deux enfants
pro rodinu s dvěma dětmi
pro rodyinou sdviéma diétmi

c'est bien, je la prends
dobře, vezmu si ho
dobrjé, vézmou si Ho

ça n'a pas vraiment d'importance
to opravdu není důležité
to oprafdou negnii dou:léjitéé

est-ce que je peux voir la chambre ?
můžu se na ten pokoj podívat?
mou:jou sé na tén pokoï podyiivate?

avez-vous quelque chose de plus calme ?
neměl (m)/neměla (f) byste jiný, méně hlučný pokoj?
némniél/némniéla biste yinii, méénie Hloutchnii pokoi?

est-ce qu'il est possible d'ajouter un lit supplémentaire ?
je možné dostat přistýlku?
yé mojnéé dostate prjistiilkou?

pourriez-vous me recommander un autre hôtel ?
mohl (m)/mohla (f) byste mi doporučit jiný hotel?
moHl/moHla bisté mi doporoutchite yinii Hotél?

combien coûte une chambre avec salle de bains ?
kolik stojí pokoj s koupelnou?
kolik stoyii pokoï sko-oupélno-ou?

nous pensons rester 2 nuits
chceme zůstat dvě noci
Rtsémé zou:state dvié notsi

vous n'avez rien de moins cher ?
nemáte něco levnějšího?
némaaté niétso lévniéïchiiHo?

est-ce que le petit déjeuner est inclus ?
je snídaně v ceně?
yé sgniidanié ftségnié?

est-ce que l'hôtel est près du centre ?
je hotel blízko centra?
yé Hotél bliisko tsénntra?

vers 7 heures
asi v sedm hodin
assi fsédm Hodyine

la clé de la 24, s'il vous plaît
klíč od pokoje dvacet čtyři, prosím
kliitch ote pokoyé dvatséte tchtirji, prossiime

j'aimerais changer de chambre, la mienne est trop bruyante
chtěl (m)/chěla (f) bych jiný pokoj, tento je příliš hlučný
Rtiél/Rtiéla biR yinii pokoï, ténto yé prjiilich Hloutchnii

est-ce que je peux avoir une couverture supplémentaire ?
můžu dostat ještě jednu přikrývku?
mou:jou dostate yéchtié yédnou prjikriifkou?

y a-t-il une prise pour le rasoir ?
je tam zásuvka pro holicí strojek?
yé tame zaassoufka pro Holitsii stroyek?

nous n'avons pas de serviettes de toilette
nemáme ručníky
némaame routchgniiki

il n'y a plus de papier toilette
došel toaletní papír
dochél toalétgnii papiir

les draps n'ont pas été changés
nevyměnili prostěradla
névimniégnili prostiéradla

Comprendre

znám jeden levnější a opravdu dobrý hotel blízko ...
il y a un hôtel pas trop cher et vraiment bien près de …

co hledáte?
qu'est-ce que vous cherchez ?

s koupelnou nebo bez?
avec ou sans salle de bains ?

ne, je mi líto, máme plno
non, je regrette, nous sommes complets

mám jen jeden pokoj pro dvě osoby
il ne me reste qu'une chambre double

na kolik nocí?
c'est pour combien de nuits ?

jaké je vaše jméno, prosím?
quel est votre nom, s'il vous plaît ?

v kolik hodin asi přijedete?
à quelle heure pensez-vous arriver ?

toto je klíč od vchových dveří a ten druhý od pokoje
celle-là est la clé de la porte d'entrée et l'autre celle de votre chambre

pokoje musí být uvolněné před polednem
les chambres doivent être libérées avant midi

snídaně se podává od sedmi třiceti do devíti hodin
le petit déjeuner est servi entre 7h30 et 9h

AUBERGE DE JEUNESSE

S'exprimer

est-ce que je peux laisser mon sac à dos à la réception ?
můžu si nechat batoh na recepci?
mou:jou si néRate batoR na rétséptsi?

je viendrai le récupérer vers 7 heures
přijdu si pro něj kolem sedmé hodiny
prjiydou si pro niéi kolém sédméé Hodyini

il n'y a pas d'eau chaude
není teplá voda
négnii téplaa voda

l'évier est bouché
umyvadlo neodtéká
oumivadlo néottéékaa

Comprendre

lůžkoviny vám poskytneme
les draps sont fournis

máte členskou kartu?
avez-vous une carte de membre ?

LOCATION

S'exprimer

je cherche quelque chose qui soit près du centre
hledám něco blízko centra
Hlédaame niétso bliisko tséntra

où dois-je prendre/laisser les clés ?
kde mám vzít/nechat klíče?
gdé maame vziite/néRate kliitché?

où est le compteur électrique ?
kde je elektroměr?
gdé yé élektromniér?

est-ce qu'il y a des ... de rechange ?
kde je náhradní ...?
gdé yé naaHradgnii ...?

où dois-je sortir les poubelles ?
kam mám dát odpadky?
kame maame daate otpatki?

je suis désolé(e), j'ai cassé le/la ...
je mi to líto, rozbil *(m)*/rozbila *(f)* jsem ...
yé mi to liito, rozbil/rozbila ssém ...

je ne trouve pas le/la ...
nemůžu najít ...
némou:jou nayite ...

Comprendre

dobrý den, jdete se podívat na dům?
bonjour, vous venez pour la maison ?

je zcela zařízený
c'est entièrement meublé

po vašem odjezdu někdo přijde uklidit
il y a quelqu'un qui va passer pour le ménage après votre départ

topení, elektřina a plyn jsou v ceně
le prix comprend le chauffage, l'électricité et le gaz

CAMPING

S'exprimer

y a-t-il un camping près d'ici ?   **c'est combien par jour ?**
je tu blízko kemping?   kolik to stojí na den?
yé tou bliizko kémpinnk?   *kolik to stoyi na dén?*

je voudrais un emplacement pour une tente pour 2 jours
chtěl *(m)*/chtěla *(f)* bych místo pro stan na dva dny
Rtiél/Rtiéla biR miisto pro stane na dva dni

est-ce qu'il y a une cabine téléphonique ?
je tu telefonní kabina?
yé tou téléfonngnii kabina?

où sont les poubelles ?
kde jsou popelnice?
gdé isso-ou popélnitse?

je voudrais régler – on était au numéro 62, allée B
chtěl *(m)*/chtěla *(f)* bych zaplatit – byli jsme v řadě B, číslo šedesát dva
Rtiél/Rtiéla biR zaplatite – bili smé vrjadié bé, tchiislo chédéssaate dva

est-ce que vous pourriez nous prêter votre ... ?
mohl *(m)*/mohla *(f)* byste nám půjčit ...?
moHl/moHla bisté naame pou:itchite ...?

Comprendre

klidně mi zavolejte, jestli budete mít nějaký problém
n'hésitez pas à m'appeler si vous avez un problème

stojí to ... na den/na osobu a ... za stan
c'est ... par jour/par personne et ... par tente

BOIRE ET MANGER

Pour vous restaurer, vous n'aurez que l'embarras du choix. Souvent, les bars-restaurants (**hospoda**) servent à manger à partir de 11h, et ce jusqu'au soir sans interruption. Ils ferment cependant tôt, entre 22h et 22h30. Les Tchèques mangent rapidement et choisissent souvent un plat unique (que ce soit une entrée, un plat ou un dessert). Attention, les serveurs débarrassent également très rapidement : à peine avez-vous posé la fourchette qu'ils arrivent, ce qui peut surprendre au début. Dans les villes touristiques, les menus sont aussi en anglais, allemand et italien. À côté du nom du plat est indiqué son poids puis le prix.

Les tarifs n'incluent ni le service, ni le pain. Il est d'usage de laisser environ 10 % de l'addition en pourboire. Vous ne laisserez pas le pourboire sur la table mais le remettrez directement au serveur lorsqu'il vient avec l'addition.

Les Tchèques arrosent leur repas de bière à la pression (**točené pivo**). Si vous demandez de l'eau, on vous apportera une bouteille d'eau minérale : la carafe d'eau à la française n'existe pas. Le café tchèque n'est pas le meilleur. En revanche, vous pouvez goûter un café viennois ou algérien (avec de la liqueur d'œuf).

Pour commencer

addition	účet *ou:tchéte*
apéritif	aperitiv *apéritif*
bière	pivo *pivo*
bouteille	láhev *laaHéf*
café	káva *kaava*
café crème	káva s mlékem *kaava smléékém*
café viennois	vídeňská káva *viidégnskaa kaava*
carte	jídelní lístek *yiidélgnii liisték*
Coca-cola®	coca-cola *coca-cola*
commander	objednat si *obiédnate si*
déjeuner (*nom*)	oběd *obiét*

déjeuner (v)	obědvat *obiédvate*
dessert	dezert *dézerte*, moučník *mo-outchgniik*
dîner (n)	večeře *vétchérjé*
dîner (v)	večeřet *vétchérjéte*
eau gazeuse	perlivá voda *pérlivaa voda*
eau minérale	minerální voda *minéraalgnii voda*
eau plate	neperlivá voda *népérlivaa voda*
entrée	předkrm *prjétkrm*
expresso	expreso *éxprésso*
fromage	sýr *siir*
jus de fruit	džus *djouss*
manger	jíst *yiist*
menu	menu *méni*
petit déjeuner	snídaně *sgniidanié*
plat de résistance	hlavní jídlo *Hlavgnii yiidlo*
pression	točené pivo *totchénéé pivo*
sandwich	sendvič *séndvitch*
thé	čaj *tchaï*
verre	sklenice *sklégniitsé*
vin rouge/blanc/rosé	červené/bílé/růžové víno *tchérvénéé/biiléé/rou:jové viino*

S'exprimer

on va manger un bout ?
nedáme si něco k jídlu?
nédaamé si niétso kyiidlou?

on va boire un verre ?
nedáme si skleničku?
nédaamé si sklégnitchkou?

on va prendre un café ?
nedáme si kávu?
nédaamé si kaavou?

j'en reprendrai un autre
dám si ještě jeden
daame si yéchtié yédén

est-ce que vous pouvez nous recommander un restaurant ?
mohl (m)/mohla (f) byste nám doporučit nějakou restauraci?
moHl/moHla bisté naame doporoutchite niéyako-ou résta-ouratsi?

je n'ai pas très faim
nemám moc hlad
némaame mots Hlat

j'ai super faim
mám hrozný hlad
maame Hroznii Hlat

s'il vous plaît ! *(pour appeler le serveur)*
prosím vás!
prossiime vaass!

je voudrais un sandwich au jambon, s'il vous plaît
chtěl *(m)*/chtěla *(f)* bych sendvič se šunkou, prosím
Rtiél/Rtiéla biR séndvitch sé chounko-ou, prossiime

bon appétit !
dobrou chut'!
dobro-ou Routie!

tchin-tchin !
čin-čin!
tchine-tchine!

à la tienne !
na tvoje!
na tvoyé!

à la vôtre !
na vaše!
na vaché!

c'est délicieux
je to výborné
yé to viibornéé

c'était délicieux
bylo to výborné
bilo to viibornéé

c'est très gras
je to moc tučné
yé to mots toutchnéé

ce n'est pas assez salé
není to dost slané
négnii to dost slanéé

c'est trop épicé
je to moc kořeněné
yé to mots korjéniénéé

j'ai trop bu hier
včera jsem moc pil *(m)*/pila *(f)*
ftchéra issém mots pil/pila

est-ce que vous pourriez apporter un cendrier ?
mohl *(m)*/mohla *(f)* byste mi dát popelník?
moHl/moHla bisté mi daate popélgniik?

où sont les toilettes, s'il vous plaît ?
kde jsou toalety, prosím vás?
gdé isso-ou toaléti, prossiime vaass?

Comprendre

na místě   sur place
s sebou   à emporter

lituji, po desáté hodině jídlo nepodáváme
désolé, nous ne servons plus après 10h

RÉSERVER UNE TABLE

S'exprimer

allô, bonjour, je voudrais réserver une table pour 2 pour demain soir
haló, dobrý den, chtěl *(m)*/chtěla *(f)* bych rezervovat stůl pro dvě osoby na zítra večer
haloo, dobrii dén, Rtiél/Rtiéla biR rézervovate stou:l pro dvié ossobi na ziitra vétchér

vers 8 heures
kolem osmé hodiny
kolém osmée Hodyini

vous n'avez pas de table libre plus tôt ?
nemáte volný stůl dříve?
némaaté volnii stou:l drjiivé?

une table pour 4, s'il vous plaît
stůl pro čtyři, prosím vás
stou:l pro tchtirji, prossiime vaass

j'ai réservé une table au nom de ...
rezervoval *(m)*/rezervovala *(f)* jsem stůl na jméno ...
rézervoval/rézervovala ssém stou:l na iméno ...

Comprendre

na kolikátou hodinu?
pour quelle heure ?

na jméno?
c'est à quel nom ?

máte rezervaci?
est-ce que vous avez réservé ?

dobrý den, přejete si obědvat/večeřet?
bonjour, c'est pour manger ?

kuřáci, nebo nekuřáci?
fumeurs ou non-fumeurs ?

osm třicet, hodí se vám to?
8h30, ça vous va ?

kolik vás je?
vous êtes combien ?

44

máme obsazeno, ale počkáte-li čtvrt hodiny, jeden stůl se uvolní
nous sommes complets mais si vous pouvez attendre un quart d'heure qu'une table se libère

COMMANDER À MANGER

S'exprimer

qu'est-ce que vous nous recommandez ?
co nám doporučíte?
tso naame doporoutchiite?

oui, je crois qu'on a choisi
ano, myslím, že máme vybráno
anno, misliime, jé maamé vibraano

non, pas encore
ne, ještě ne
né, yéchtié né

je voudrais …
chtěl (m)/chtěla (f) bych …
Rtiél/Rtiéla biR …

quel est le plat du jour ?
jaká je nabídka dne?
yakaa yé nabiitka dné?

on va prendre deux menus à 600 couronnes
dáme si dvakrát menu za šest set korun
daamé si dvakraate méni za chést sséte koroun

pour moi, ça sera … et …
dám si … a …
daame si … a …

… mais sans …
… ale bez …
… alé béss …

moi, je ne sais pas, c'est quoi "knedlíky"?
nevím, co jsou knedlíky
néviime, tso isso-ou knédliiki

je vais prendre ça alors
tak já si to dám
tak yaa si to daame

une bouteille d'eau, s'il vous plaît
láhev vody, prosím
laaHéf vodi, prossiime

une demi-bouteille de vin rouge
malou láhev červeného vína
malo-ou laaHéf tchérvenééHo viina

on va partager – est-ce que vous pouvez nous apporter deux assiettes ?
rozdělíme se – můžete nám přinést dva talíře?
rozdiéliimé sé – mou:jété naame prjinéést dva taliirjé?

ce n'est pas ce que j'ai commandé, j'avais demandé …
tohle jsem si neobjednal *(m)*/neobjednala *(f)*, chtěl *(m)*/chtěla *(f)* jsem …
toHlé ssém si néobiédnal/néobiédnala, Rtiél/Rtiéla ssém …

est-ce qu'on peut avoir encore du pain ?
mohl *(m)*/mohla *(f)* bych dostat ještě chléb?
moHl/moHla biR dostate yéchtié Rléépe?

est-ce que vous pourriez nous apporter une autre bouteille d'eau ?
můžete nám přinést ještě jednu láhev vody?
mou:jété naame prjinéést yéchtié yédnou laaHéf vodi?

qu'est-ce que vous avez comme desserts ?
jaké máte dezerty?
yakéé maaté dézerti?

Comprendre

co si dáte k pití?
et comme boisson ?

na způsob ragú …
c'est une sorte de ragoût de …

vrátím se za chvíli
je repasse dans un moment

lituji, … už nemáme
désolé, nous n'avons plus de …

přejete si dezert?
désirez-vous un dessert ?

vybrali jste si?
vous avez choisi ?

AU CAFÉ

S'exprimer

qu'est-ce que tu prends ?
co si dáš?
tso si daach?

qu'est-ce que vous prenez ?
co si dáte?
tso si daaté?

je t'offre un verre
zvu tě na skleničku
zvou tié na sklégnitchkou

non, cette fois c'est pour moi
ne, tentokrát tě zvu já
né, téntokraate tié zvou yaa

je vais prendre ...
dám si ...
daame si ...

je voudrais ...
chtěl *(m)*/chtěla *(f)* bych ...
Rtiél/Rtiéla biR ...

un Coca-cola® sans glaçons, s'il vous plaît
coca-colu bez ledu, prosím
coca-colou béss lédou, prossiime

un Coca light®, avec beaucoup de glaçons
lehkou colu s ledem
léRko-ou colou slédém

un petit verre de vin blanc sec
skleničku suchého bílého vína
sklégnitchkou souRééHo biilééHo viina

un demi
velké pivo
velkéé pivo

un thé au citron
čaj s citrónem
tchaï stsitroonéme

un café allongé
slabou kávu
slabo-ou kaavou

la même chose pour moi
to samé pro mne
to saméé pro mnié

et une (petite) bouteille d'eau, s'il vous plaît
a (malou) láhev vody
a (malo-ou) laaHéf vodi

une autre pression, s'il vous plaît
ještě jedno točené pivo, prosím
yéchtié yédno totchénéé pivo, prossiime

c'est sacrément fort comme alcool !
to je dost silný alkohol!
to yé dost silnii alkoHol!

Comprendre

nealkoholický sans alcool

tady je nekuřácký prostor
c'est un espace non-fumeurs ici

Quelques expressions familières

zajít si na skleničku aller boire un coup
být namol, mít opici être bourré
mít kocovinu avoir la gueule de bois

L'ADDITION

S'exprimer

l'addition, s'il vous plaît
účet, prosím
ou:tchéte, prossiime

je vous dois combien ?
kolik platím?
kolik platyiime?

est-ce qu'on peut payer par carte de crédit ?
můžu platit kreditní kartou?
mou:jou platyite kréditgnii karto-ou?

je crois qu'il y a une erreur dans l'addition
myslím, že je v účtu chyba
misliime, jé yé fou:tchou Riba

le service est-il compris ?
je obsluha v ceně?
yé opslouHa ftsénié?

Comprendre

platíte dohromady?
vous réglez tout ensemble ?

BOIRE ET MANGER

LA CUISINE

(i)

Les Tchèques mangent toujours très vite. Le matin, ils prennent souvent un petit déjeuner (**snídaně**) copieux, avec de la charcuterie. Au déjeuner (**oběd**), ils prennent toujours une soupe, en hiver comme en été, suivie du plat principal. Souvent, ils ne disposent pas d'une longue pause pour le déjeuner et consomment leur plat en un quart d'heure. Il est courant de prendre une petite collation vers 16h. Enfin, les Tchèques dînent tôt, entre 18 et 19h. Le dîner (**večeře**) peut être uniquement sucré (par exemple si vous dînez des **lívance**, sortes de petites galettes) ou bien uniquement salé. Toutefois, à certaines occasions (fêtes, anniversaires, soirées…), on prend volontiers le temps de savourer un repas plus riche et varié.

Comprendre

čerstvý	frais *(légume)*
dobře propečený	bien cuit
dušený	braisé, à l'étuvée
grilovaný	cuit au grill
kořeněný	épicé
kousky	en morceaux
krvavý	saignant
navívaný	farci
nepříliš propečený	à point
obalovaný	pané
opečený	sauté
osmahnutý	doré
pečený	cuit au four
plátky	en tranches
plněný	farci
pyré	en purée
smažený	frit
studený	froid
sušený	séché
tavený	fondu
uzený	fumé
vařený	cuit à l'eau, bouilli

LA CUISINE

♦ **studené a teplé předkrmy** entrées froides et chaudes

hlávkový salát salade verte
moravská klobása saucisse épicée servie avec de la moutarde et du pain
rajčatový salát salade de tomates
ruské vejce œuf à la mayonnaise
šunka v aspiku jambon en gelée
šunkové závitky se šlehačkou a křenem jambon en rouleau, farci de crème fouettée au raifort et parsemé de persil

♦ **polévky** soupes

bramborová polévka soupe de pommes de terre
česneková polévka soupe à l'ail avec du persil et des pommes de terre
hovězí vývar s játrovými knedlíčky bouillon de bœuf avec des boulettes de foie de volaille
zeleninová polévka bouillon de bœuf avec des morceaux de viande et de légumes
zelná polévka s klobásou soupe de chou avec des morceaux de saucisse

♦ **hlavní jídla** plats principaux

hovězí guláš goulache (ragoût de bœuf préparé avec des oignons et du paprika accompagné de **houskové knedlíky**). Il en existe différentes variétés : avec de la saucisse, du porc, à la bière, etc.
pečená husa oie rôtie servie avec du chou
pstruh na roštu truite grillée
smažený sýr tranche de fromage panée
smažený vepřový řízek escalope de porc panée, souvent accompagnée d'une salade de pommes de terre
svíčková na smetaně s brusinkami filet de bœuf garni d'airelles rouges, servi dans une sauce de légumes à la crème fraîche
telecí pečeně na houbách rôti de veau aux champignons
vepřová pečeně se zelím rôti de porc servi avec du chou aigre-doux ou de la choucroute

◆ **přílohy** accompagnements

bramboráky galettes préparées avec des pommes de terre râpées, assaisonnées d'ail et de marjolaine
bramborový salát salade composée de pommes de terre, carottes, céleri, oignons, œufs et mayonnaise
knedlíky tranches d'une quenelle de grande dimension, préparée à base de purée de pommes de terre (**bramborové**), ou de farine avec des morceaux de pain (**houskové**)
pečivo petits pains

◆ **moučníky / zákusky** desserts

jablečný závin roulé aux pommes : pâtisserie préparée avec de la pâte feuilletée, farcie de pommes râpées et de raisins secs, et parfumée à la cannelle
lívanečky s borůvkami a šlehačkou petites galettes garnies de myrtilles et de crème fouettée
ovocný knedlík s tvarohem boulette préparée avec de la farine, des fruits (abricot, fraise, prune…), du fromage de lait caillé (**tvrdý tvaroh**) râpé et du beurre fondu
palačinky crêpes
zmrzlinový pohár coupe de glace, souvent servie avec de la crème fouettée et des fruits

◆ **nápoje** boissons

La bière (**pivo**) – brune (**tmavé**), blonde (**světlé**) ou rousse (**řezané**), et plus ou moins forte (**12°, dvanáctka** 5% d'alcool, **10°, desítka** 3% d'alcool) – est la boisson nationale des Tchèques. Elle est servie à la pression. Vous pouvez même trouver des bars qui brassent leur propre bière (par exemple en Moravie à Brno). Parmi les marques les plus connues : **Plzeňský Prazdroj** (Plzeň), **Budvar** (České Budějovice), **Staropramen** (Prague)… On déguste aussi volontiers du vin (**víno**), surtout en Moravie, région réputée pour ses vignobles.

LA CUISINE

Pour conclure le repas, on prend souvent un digestif : **becherovka** (boisson aux plantes dont la composition reste secrète), **slivovice** (alcool de prunes) ou **vaječný likér** (liqueur au jaune d'œuf). En hiver, les Tchèques aiment déguster du vin chaud sucré, parfumé à la cannelle (**svařené víno**).

Glossaire de l'alimentation

ananas ananas
banán banane
biftek bifteck
bílek blanc d'œuf
bílý chléb pain blanc
bramborová kaše purée de pommes de terre
bramborová polévka soupe de pommes de terre
bramborový salát salade de pommes de terre
brambory pommes de terre
broskev pêche
bylinný čaj tisane
celer céleri
chlebíčky tranches de pain blanc avec différentes garnitures (jambon, salade de pommes de terre, fromage…), généralement servi pour accompagner des apéritifs ou des boissons (vin, champagne…)
cibule oignon
citrón citron
cukr sucre
čaj thé
černý chléb pain noir
česnek ail
čočka lentilles

čokoláda chocolat
cukr sucre
dort gâteau
drůbež volaille
džus (ovocný) jus de fruit
fazole haricots
fazolové lusky haricots verts
grapefruit pamplemousse
gulášová polévka soupe de goulache
hlavní jídlo plat principal
hořčice moutarde
houby champignons
hovězí guláš goulache de bœuf
hovězí (maso) viande de bœuf
hovězí vývar se zeleninou bouillon avec des légumes
hovězí vývar s nudličkami bouillon avec des vermicelles
hrachová polévka soupe aux pois
hranolky frites
hrášek petits pois
husa oie
jablko pomme
jahoda fraise
játra foie
jazyk langue
jehněčí (maso) viande d'agneau

jogurt yaourt
kachna canard
kapr carpe
kapusta (růžičková) chou de
  Bruxelles
karbanátky boulettes de hachis
  panées
kedluben chou-rave
klobása saucisse
kobliha beignet
koláč tarte
kompot compote
králík lapin
kreveta crevette
krůta dinde
křen raifort
kukuřice maïs
kukuřičné vločky corn flakes
květák chou-fleur
kysaná smetana crème fermen-
  tée
kysané zelí choucroute
kýta gigot
ledvinka rognon
likér liqueur
lilek aubergine
limonáda limonade
losos saumon
majonéza mayonnaise
mák pavot
malina framboise
mandarinka mandarine
mandle amande
margarín margarine
máslo beurre
maso viande
med miel
meloun pastèque, melon

meruňka abricot
mléko lait
mleté maso viande hachée
mouka farine
mrkev carotte
nudličky vermicelles
ocet vinaigre
okurka concombre, cornichon
okurkový salát salade de con-
  combres
olej huile
olivy olives
omáčka sauce
omeleta omelette
ovoce fruits
ovocné knedlíky boulettes de
  pâte farcies aux fruits
ovocný koláč tarte aux fruits
paprika poivron
párek petite saucisse servie
  chaude, accompagnée de
  moutarde et de raifort
paštika pâté
pažitka ciboulette
petržel persil
pivo bière
plněné papriky poivrons farcis
  servis avec une sauce tomate
polévka soupe
pomeranč orange
pomerančový džus jus d'orange
pomfrity frites
pórek poireau
předkrm hors-d'œuvre
pstruh truite
ragú ragoût
rajčatový salát salade de
  tomates

rajče/rajské jablko tomate
roštěná entrecôte
rozinky raisins secs
ryba poisson
rybí polévka soupe de poisson
rýže riz
ředkvička radis
řízek escalope
salám saucisson
salát salade
skopové (maso) viande de mouton
sladký sucré
slaný salé
smažený kapr carpe panée
smažený řízek escalope panée
smetana crème fraîche
smetanová zmrzlina glace à la crème
sýr fromage
šlehačka crème chantilly
špenát épinards
štika brochet
šunka jambon
švestka prune
telecí (maso) viande de veau
těsto pâte
těstoviny pâtes
tmavý chléb pain noir
točené pivo bière à la pression

tvaroh fromage blanc
tvarohový koláč tarte au fromage blanc
tvrdý tvaroh fromage de lait caillé à pâte dure
uzeniny charcuterie
vajíčko œuf
vajíčko na měkko œuf à la coque
vajíčko na tvrdo œuf dur
vanilka vanille
vejce œuf
vepřové kotlety côtelettes de porc
vepřové (maso) viande de porc
víno (hroznové) raisin
vlašský ořech noix
zapékané těstoviny s uzeným masem gratin de pâtes à la viande fumée
zavařenina confiture
zelenina légumes
zeleninová polévka soupe de légumes
zelí chou
zelná polévka soupe de choux
zmrzlina glace
zvěřina gibier
žampióny champignons de Paris
žloutek jaune d'œuf

Il serait dommage d'aller en République tchèque sans écouter un concert baroque dans un château ou une église, ou un opéra à l'Opéra national de Prague : la musique tient une grande place dans le cœur des Tchèques. Par respect, vous devez vous habiller élégamment, en costume pour les hommes, en robe de soirée pour les femmes. Tous les renseignements sur les horaires et les lieux peuvent vous être fournis par votre hôtel ou par l'office culturel (**Informační centrum**) qui, dans les petites villes, se trouve souvent dans la mairie. Les informations sont également disponibles dans les journaux locaux.

Au cinéma, il est de rigueur de ne pas quitter la salle avant la fin du générique du film.

Les Tchèques se regroupent souvent le soir autour d'une bonne bière à l'**hospoda** (bar où l'on peut boire et manger).

Lorsqu'on est invité chez quelqu'un, on apporte habituellement un petit quelque chose que l'on peut consommer ensemble (une bouteille de vin, des gâteaux…). Il est d'usage de retirer ses chaussures à l'entrée ; votre hôte a toujours une paire de pantoufles (**bačkůrky**) à vous prêter. Vous serez invité à dîner vers 18h, les Tchèques mangeant tôt. La soirée se termine de ce fait vers 23h.

Pour commencer

bar	bar *bar*
boîte de nuit	diskotéka *diskotééka*
cinéma *(genre)*	film *film*
cinéma *(lieu)*	kino *kino*
cirque	cirkus *tsirkouss*
concert de rock/jazz	rockový/jazzový koncert
	rokovii/jazzovii **kontsérte**

concert de pop	koncert populární hudby *kontsérte popoulaargnii Houdbi*
danse classique/ contemporaine	klasický/moderní tanec *klassitskii/modérgnii tanéts*
festival	festival *féstival*
fête	oslava *oslava*
film	film *film*
folklorique	folklórní *folkloorgnii*
groupe *(de musique)*	skupina *skoupina*
musique classique/ traditionnelle	klasická/tradiční hudba *klassitskaa/traditchgnii Houdba*
publicités	reklama *réklama*
réserver	rezervovat *rézérvovate*
soirée	večírek *vétchiirék*
spectacle	představení *prjétstavégnii*
théâtre *(genre, lieu)*	divadlo *dyivadlo*
ticket	vstupenka *fstoupénka*
VO sous-titrée	v původním znění s titulky *fpou:vodgniime zniégnii s titoulki*

PROPOSER, INVITER

S'exprimer

où est-ce qu'on peut aller ?
kam můžeme jít?
kame mou:jémé yiite?

on va prendre un verre ?
půjdeme na skleničku?
pou:idémé na sklégnitchkou?

qu'est-ce que tu veux faire ?
co chceš dělat?
tso Rtséch diélate?

qu'est-ce que vous voulez faire ?
co chcete dělat?
tso Rtsété diélate?

qu'est-ce que tu fais ce soir ?
co budeš dělat dnes večer?
tso boudéch diélate dnéss vétchér?

qu'est-ce que vous faites ce soir ?
co budete dělat dnes večer?
tso boudété diélate dnéss vétchér?

tu as quelque chose de prévu ?
máš něco naplánováno?
maach niétso naplaanovaano?

vous avez quelque chose de prévu ?
máte něco naplánováno?
maaté niétso naplaanovaano?

ça te dit de … ?
chceš ...?
Rtséch …?

ça vous dit de … ?
chcete ...?
Rtsété …?

avec plaisir
s radostí
sradostyii

on pensait aller à …
mysleli jsme jít do/na ...
misléli smé yiite do/na …

aujourd'hui je ne peux pas mais un autre jour si tu veux
dnes nemůžu, někdy jindy, jestli chceš
dnéss némou:jou, miégdi yindi, yéstli Rtséch

SE RETROUVER

S'exprimer

ce serait pas possible de se retrouver un peu plus tard ?
bylo by možné sejít se o něco později?
bilo bi mojnéé seyiite sé o niétso pozdiéyi?

je dois rejoindre … à 9 heures
musím se sejít s ... v devět hodin
moussiime sé seyiite s … vdéviéte Hodyine

on se retrouve à quelle heure ?
v kolik hodin se sejdeme?
fkolik Hodyine sé seïdémé?

on se retrouve où ?
kde se sejdeme?
gdé sé seïdémé?

je ne sais pas où c'est mais je trouverai sur la carte
nevím kde, ale najdu to na mapě
néviime gdé, alé naïdou to na mapié

à demain soir
zítra večer nashledanou
ziitra vétchér nasRlédano-ou

je vous rejoindrai plus tard, il faut que je passe à l'hôtel d'abord
přijdu za vámi později, musím se nejdřív stavit v hotelu
prjiidou za vaami pozdiéyi, moussiime sé neïdrjiif stavite vHotélou

SORTIR

57

tu auras mangé avant ?
budeš po jídle?
boudéch po yiidlé?

désolé d'être en retard
promiňte, že jdu pozdě
promignté, jé idou pozdié

Comprendre

hodí se ti to?
est-ce que ça te va ?

sejdeme se přímo tam
on se rejoint directement là-bas

dám ti telefonní číslo, zavolej mi zítra
je vais te donner mon numéro, tu n'as qu'à m'appeler demain

přijdu pro tebe kolem osmé hodiny
je passerai te chercher vers 8 heures

sejdeme se před ...
on se retrouve devant ...

> **Quelques expressions familières**
> **dát/vypít si skleničku** prendre un pot
> **něco si zakousnout** manger un bout

CINÉMA, SPECTACLES, CONCERTS

S'exprimer

est-ce qu'il y a un guide des spectacles ?
existuje nějaký kulturní přehled?
éxistouyé niéyakii koultourgnii prjéHléte?

je voudrais 3 places pour ...
chtěl (m)/chtěla (f) bych tři vstupenky na ...
Rtiél/Rtiéla biR trjii fstoupénki na ...

2 tickets, s'il vous plaît
dva lístky, prosím
dva liistki, prossiime

c'est une actrice connue mais je ne me souviens plus de son nom
je to známá herečka, ale nevzpomínám si na její jméno
yé to znaamaa Hérétchka, alé néfspomiinaame si na yéyi imééno

ça s'appelle …
jmenuje se to ...
iménouyé sé to …

je l'ai déjà vu en France, c'est pas mal
už jsem ho viděl *(m)*/viděla *(f)* ve Francii, není to špatné
ouch issém Ho vidiél/vidiéla vé franntsii, négnii to chpatnéé

j'en ai entendu parler, il paraît que c'est …
slyšel *(m)*/slyšela *(f)* jsem o tom, zdá se, že to je ...
slichél/slichéla ssém o tome, zdaa sé, jé to yé …

j'ai vu la bande-annonce, ça a l'air …
viděl *(m)*/viděla *(f)* jsem reklamu, vypadá to ...
vidiél/vidiéla ssém réklamou, vipadaa to …

à quelle heure est la séance ? et le film ?
v kolik hodin začíná představení? a film?
fkolik Hodine zatchiinaa prjétstavégnii? a film?

j'aimerais bien aller voir un spectacle
chtěl *(m)*/chtěla *(f)* bych jít na nějaké představení
Rtiél/Rtiéla biR yiite na niéyakéé prjétsavégnii

je vais passer voir s'il reste des places
půjdu se podívat, jestli ještě mají lístky
pou:ïdou sé podyiivate, yéstli yéchtié mayii liistki

est-ce qu'il faut réserver à l'avance ?
je třeba rezervovat předem?
yé trjéba rézervovate prjédém?

ça joue jusqu'à quand ?
do kdy se to hraje?
do gdi sé to Hrayé?

est-ce qu'il reste des places un autre jour ?
jsou lístky na jiný den?
isso-ou liistki na yinii dén?

j'aimerais bien aller à un concert dans un club ou quelque chose comme ça
chtěl *(m)*/chtěla *(f)* bych jít na koncert do klubu nebo něco podobného
Rtiél/Rtiéla biR yiite na kontsérte do kloubou nébo niétso podobnééHo

est-ce qu'il y a des concerts gratuits ?
existují koncerty s volným vstupem?
éxistouyii kontsérti svolniime fstoupém?

c'est quel genre de musique ?
jaký je to hudební žánr?
yakii yé to Houdébgnii jaannr?

je n'aime pas beaucoup ce type de musique
ten druh hudby nemám moc rád *(m)*/ráda *(f)*
tén drouR Houdbi némaame mots raate/raada

Comprendre

ještě!	une autre ! *(chanson)*
matiné	matinée *(au théâtre)*
místa se špatnou viditelností	place avec mauvaise visibilité
pokladna	billetterie
rezervace	réservations
umělecký a experimentální film	cinéma d'art et d'essai
v kinech od ...	sortie le ... *(film)*
velkoprodukce	grosse production

v kostele je koncert klasické hudby
il y a un concert de musique classique dans l'église

je to koncert v plenéru
c'est un concert en plein air

kritiky jsou velmi příznivé
il y a de très bonnes critiques

hraje se od příštího týdne
ça sort la semaine prochaine

je vyprodáno až do ...
c'est complet jusqu'au ...

hraje se od osmi hodin v Národním divadle
ça joue à 8 heures au Théâtre national

toto představení je vyprodané
il n'y a plus de places pour cette séance

je lépe přijít o čtvrt hodiny dříve
il est conseillé de venir un quart d'heure avant

lístky se prodávají u vchodu půl hodiny před začátkem
představení
les places sont vendues à l'entrée, une demi-heure avant le spectacle

není třeba rezervovat předem
ce n'est pas la peine de réserver à l'avance

hra trvá s přestávkou hodinu a půl
la pièce dure une heure et demie avec entracte

vypněte si, prosím, mobilní telefony
prière d'éteindre votre portable

FÊTES, SOIRÉES, DISCOTHÈQUES

S'exprimer

j'organise une petite soirée pour mon départ
pořádám malý večírek u příležitosti svého odchodu
porjaadaame malii vétchiirék ou prjiiléjitostyi svééHo otRodou

il y a un bal pour la fête du village ce soir
dnes večer je vesnický bál
dnéss vétchér yé vésgnitskii baal

est-ce qu'il faut apporter quelque chose à boire ?
mám přinést něco k pití?
maame prjinéést niétso kpityii ?

on pourrait aller en boîte après
potom můžeme jít na diskotéku
potome mou:jémé yiite na diskotéékou

l'entrée est payante ?
platí se vstupné?
platyii sé fstoupnéé?

61

je dois retrouver quelqu'un à l'intérieur
musím jít za někým dovnitř
moussiime yiite za niékiime dovgnitrj

vous me laisserez entrer quand je reviendrai ?
pustíte mě dovnitř, až se vrátím?
poustyiité mnié dovgnitrj, ach sé vraatiime?

tu viens souvent ici ?
chodíš sem často?
Rodyiich sém tchasto?

je danse comme un pied
tančím velmi špatně
tanntchiime vélmi chpatnié

merci, mais je suis avec mon copain
děkuji, jsem tady s přítelem
diékouyi, issém tadi sprjiitélém

non merci, je ne fume pas
ne, děkuji, nekouřím
né, diékouyi, néko-ourjiime

Comprendre

konzumace zdarma	conso gratuite
přehlídka	défilé
pouť	fête foraine
procesí	procession
šatna	vestiaire
v plenéru	en plein air

u ... je večírek
il y a une soirée chez …

chceš si zatancovat?
tu veux danser ?

nechceš něco k pití?
je t'offre quelque chose à boire ?

nemáš oheň?
est-ce que tu aurais du feu ?

v jednom sále je disko a v druhém latinsko-americká hudba
il y a une salle disco et une autre latino

neměl (m)/**neměla** (f) **bys cigaretu?**
est-ce que tu aurais une cigarette ?

uvidíme se ještě?
on peut se revoir ?

můžu vás doprovodit?
je peux vous raccompagner ?

VISITES TOURISTIQUES

Chaque région a son journal dans lequel sont indiqués les horaires d'ouverture des châteaux et des musées. À Prague, il existe un programme mensuel intitulé *Přehled kulturních pořadů*.

Il y a beaucoup de châteaux (en particulier des châteaux forts) à visiter en République tchèque. Ils sont ouverts au public d'avril à septembre/octobre, du mardi au dimanche. Les visites sont toujours guidées.

Il suffit normalement de dire que vous êtes étudiant étranger pour avoir droit au tarif étudiant. Il est en effet rare que l'on vous demande votre carte d'étudiant, mais prenez-la par précaution avec vous.

Pour commencer

ancien	starý *starii*, starobylý *starobilii*
art moderne/	moderní/současné umění
contemporain	*modérgnii/so-outchasnéé ou* *miégnii*
cathédrale	katedrála *katédraala*
centre-ville	centrum *tséntoum*
château	zámek *zaamék*
château fort	hrad *Hrate*
église	kostel *kostél*
exposition	výstava *viistava*
galerie	galerie *galérié*
guide *(personne, livre)*	průvodce *prou:vottsé*
musée	muzeum *mouséoum*
musée d'art	galerie *galérié*
office de tourisme	informační centrum *innformatchgnii tséntroum*
parc	park *park*
peinture	malířství *maliirjstvii*

63

quartier	čtvrť' *tchtvrtie*
remparts	hradby *Hradbi*
ruines	zřícenina *zrjiitségnina*
siècle	století *stolétyii*
tableau	obraz *obrase*
touristique	turistický *touristitskii*

S'exprimer

je voudrais avoir des renseignements sur …
chtěl *(m)*/chtěla *(f)* bych nějaké informace o …
Rtiél/Rtiéla biR niéyakéé informatsé o …

où est-ce que je peux trouver des informations sur … ?
kde můžu najít informace o …?
gdé mou:jou nayite informatsé o …?

est-ce que vous auriez un plan de la ville ?
máte plán města?
maaté plaane mniésta?

on m'a dit qu'il y a une ancienne abbaye qu'on peut visiter
slyšel *(m)*/slyšela *(f)* jsem, že je tu staré opatství, které je možno navštívit
slichél/slichéla ssém, jé yé tou staréé opatstvii, ktéréé yé mojno nafchtiivite

vous pouvez me montrer où c'est sur le plan ?
můžete mi to ukázat na mapě?
mou:jété mi to oukaatate na mapié?

comment on y va ?
jak se tam dostanu?
yak sé tame dostanou?

c'est gratuit ?
je to zdarma?
yé to zdarma?

quand est-ce que ça a été construit ?
kdy to bylo postaveno?
gdi to bilo postavéno?

Comprendre

gotický	gothique
jste zde	vous êtes ici *(sur un plan)*
otevřeno	ouvert
prohlídka s průvodcem	visite guidée
rekonstrukce/renovace	travaux de rénovation/restauration
románský	roman
staré město	vieille ville
středověký	médiéval
válka	guerre
vpád	invasion
vstup volný	entrée libre
zavřeno	fermé

kaple je ze třináctého století   **musíte se informovat na místě**
la chapelle date du XIIIe siècle   il faut vous renseigner sur place

některé domy byly postaveny ve středověku
plusieurs maisons remontent au Moyen-Âge

MUSÉES, EXPOSITIONS ET MONUMENTS

S'exprimer

il paraît qu'il y a une très bonne expo sur ... en ce moment
teď je prý velmi zajímavá výstava ...
téťie yé prii vélmi zayimavaa viistava ...

combien coûte l'entrée ?
kolik stojí vstupné?
kolik stoyii fstoupnéé?

le ticket est valable aussi pour l'exposition ?
je vstupenka platná i na výstavu?
yé fstoupénka platnaa i na viistavou?

est-ce qu'il y a des réductions pour les jeunes ?
jsou slevy pro mládež?
isso-ou slévi pro mlaadéche?

est-ce que c'est ouvert le dimanche ?
je otevřeno v neděli?
yé otévrjéno vnédiéli?

2 tarifs réduits et un plein tarif
dva lístky se slevou a jeden plný tarif
dva liistki sé slévo-ou a yédén plni tarif

j'ai cette carte de mon université
mám tuto studentskou průkazku
maame touto stoudéntskou prou:kaskou

à quelle heure est la prochaine visite guidée ?
v kolik hodin je další prohlídka?
fkolik Hodyine yé dalchii proHliitka?

combien dure la visite ?
jak dlouho trvá prohlídka?
yak dlo-ouHo trvaa proHliitka?

Comprendre

pokladna	billetterie
směr prohlídky	sens de la visite
stálá expozice	exposition permanente
ticho, prosím	silence, s'il vous plaît
výstava	exposition temporaire
zákaz fotografování	photos interdites
zákaz fotografování s bleskem	flash interdit

máte studentskou průkazku? **vstup do muzea stojí ...**
vous avez votre carte d'étudiant ? l'entrée du musée coûte …

prohlídka ve francouzštině začíná za pět minut
il y a une visite guidée en français qui commence dans 5 minutes

s touto vstupenkou můžete i na výstavu
avec ce ticket, vous avez aussi accès à l'exposition

IMPRESSIONS

S'exprimer

c'est magnifique
je to skvělé
yé to skviéléé

c'était magnifique
bylo to skvělé
bilo to skviéléé

ça ne m'a pas tellement plu
moc se mi to nelíbilo
mots sé mi to néliibilo

c'est très touristique
je to turistická atrakce
yé to touristitskaa atraktsé

c'est cher pour ce que c'est
je to příliš drahé na to, co to je
yé to prjiiliche draHéé na to, tso to yé

il y avait énormément de monde
bylo tam strašně moc lidí
bilo tame strachnié mots lidyii

finalement on n'y a pas été, il y avait trop de queue
nakonec jsme tam nešli, byla moc velká fronta
nakonéts issmé tame néchli, bila mots vélkaa fronta

on n'a pas eu le temps de tout voir
neměli jsme čas vidět všechno
némiéli smé tchass vidiéte fchéRno

Comprendre

určitě se musíte jít podívat na ...
il faut absolument que vous alliez voir …

doporučuji vám jít/jet do/na ...
je vous recommande d'aller à …

je tam nádherný pohled na celé údolí
il y a une vue superbe sur toute la vallée

stalo se to turisticky vyhledávaným místem
c'est devenu très touristique

krajina byla úplně zničena
le paysage a été complètement défiguré

VISITES TOURISTIQUES

67

SPORTS ET JEUX

Les Tchèques sont très sportifs. Ils aiment le football : **Sparta** et **Slavia** sont les équipes les plus connues. Cependant, le sport le plus prisé en République tchèque est le hockey sur glace. Même dans les petites villes, des matchs amicaux sont souvent organisés et, chaque année, personne ne manque la retransmission du championnat mondial de hockey à la télévision. Il y a une grande variéte de programmes sportifs (volley-ball, football, tennis…) à la télévision tchèque.

La République tchèque est entourée de montagnes où l'on peut faire de la randonnée en été (par exemple à **Šumava**, site protégé par l'UNESCO), et du ski de fond ou ski alpin en hiver. En été, on peut pratiquer le canoë ou le kayak.

Les Tchèques ont en outre un sport bien à eux qu'ils appellent **nohejbal**. C'est le même principe que le volley-ball, sauf que le filet est à la hauteur d'un filet de tennis et que les joueurs doivent passer le ballon par dessus le filet à l'aide de leurs jambes. Il y a également, au mois d'août, un Grand Prix annuel de moto à Brno en Moravie, mondialement connu et rediffusé à la télévision française.

Pour commencer

balle	míček *miitchék*
ballon	míč *miitch*
cartes	karty *karti*
échecs	šachy *chaRi*
excursion	výlet *viiléte*
faire de la randonnée	chodit na túry *Rodyite na tou:ri*
faire une partie de …	hrát partii … *Hraate partiyi …*
football	fotbal *fotbal*, kopaná *kopanaa*
jeu de société	společenská hra *spolétchénskaa Hra*
jouer à …	hrát … *Hraate …*
jouer au football	hrát fotbal *Hraate fotbal*
match	zápas *zaapass*

piscine	bazén *bazéén*
sentier de randonnée	turistická stezka *touristitskaa stéska*
ski alpin	(sjezdové) lyže *(syézdovéé) lijé*
ski de fond	běžky *biéchjki*
skier	lyžovat *lijovate*
sport	sport *sporte*
tennis	tenis *ténisse*
vélo	kolo *kolo*
VTT	horské kolo *Horskéé kolo*

S'exprimer

je voudrais louer ... pour une heure
chtěl *(m)*/chtěla *(f)* bych si půjčit ... na hodinu
Rtiel/Rtiéla biR si pou:yitchite ... na Hodyinou

est-ce qu'on peut prendre des cours de ... ?
je možné vzít si hodiny ...?
yé mojnéé vziite si Hodyini ...?

combien ça coûte par heure et par personne ?
kolik stojí hodina na osobu?
kolik stoyii Hodyina na osobou?

je n'en ai jamais fait
nikdy jsem to nedělal *(m)*/nedělala *(f)*
gnikdi ssém to nédiélal/nédiélala

je suis nul en ...
... mi nejde
... mi néidé

j'en ai fait une ou deux fois, il y a longtemps
zkoušel *(m)*/zkoušela *(f)* jsem to jednou nebo dvakrát, už je to dávno
sko-ouchél/sko-ouchéla ssém to yédno-ou nébo dvakraat, ouj yé to daavno

je n'en peux plus	**j'ai des courbatures**
už nemůžu	všechno mě bolí
ouj némou:jou	*fchéRno mnié bolii*
on a joué à/au ...	**on s'arrête pour pique-niquer ?**
hráli jsme ...	nezastavíme se na piknik?
Hraali smé ...	*nézastaviime sé na piknik?*

Comprendre

půjčovna ...   location de …

musíte složit kauci ve výši ...
il faut verser un acompte de …

pojištění stojí ..., a je povinné
l'assurance coûte … et est obligatoire

umíte to trochu, nebo jste úplný začátečník?
est-ce que vous avez des notions ou vous êtes complètement débutant ?

RANDONNÉE

S'exprimer

est-ce qu'il y a des sentiers de randonnée ?
jsou tady turistické stezky?
isso-ou tadi touristitskéé stézki?

qu'est-ce que vous nous conseillez comme marche dans les environs ?
jakou túru byste nám tady v okolí doporučil *(m)*/doporučila *(f)*?
yakou tou:rou bisté naam tadi fokolii doporoutchil/doporoutchila?

on m'a dit qu'il y a une très belle balade au bord du lac
podél břehu jezera je prý velmi příjemná procházka
podéél brjéHou yézéra yé prii vélmi prjiiémnaa proRaaska

on cherche une petite balade à faire dans le coin
dá se jít tady poblíž na procházku?
daa sé yiite tadi pobliije na proRaaskou?

est-ce qu'il faut avoir des chaussures de randonnée ?
je potřeba mít sportovní boty?
yé potrjéba miite sportovgnii boti?

c'est une randonnée de combien d'heures ?
kolik hodin asi ta túra zabere?
kolik Hodyine assi ta tou:ra zabéré?

est-ce que ça monte beaucoup ?
je velké stoupání?
yé velkéé sto-oupaagnii?

où est-ce que le sentier démarre ?
kde stezka začíná?
gdé stéska zatchiinaa?

est-ce que le chemin est balisé ?
je cesta značená?
yé tsésta znatchénaa?

on s'est baladés dans la campagne
procházeli jsme se na venkově
proRaazéli ssmé sé na vénkovié

est-ce que c'est un chemin circulaire ?
je cesta okružní?
yé tsésta okroujgnii?

Comprendre

cesta trvá asi tři hodiny včetně přestávek
c'est une marche d'environ 3 heures en comptant les pauses

pláštěnku a nepropustnou sportovní obuv s sebou
prévoyez un K-Way® et des chaussures de marche étanches

průměrná doba
durée moyenne *(d'une randonnée)*

SKI

S'exprimer

je voudrais louer des skis, des bâtons et des chaussures de ski
chtěl (m)/chtěla (f) bych si půjčit lyže, hůlky a boty na lyže
Rtiél/Rtiéla biR si pou:ïtchite lijé, hou:lki a boti na lijé

elles sont trop petites	**un forfait pour une journée**
jsou moc malé	permanentka na den
isso-ou mots maléé	*pérmanéntka na dén*

71

j'ai déjà fait du ski
už jsem zkoušel *(m)*/zkoušela *(f)* lyžovat
ouch issém sko-ouchel/sko-ouchéla lijovate

Comprendre

kotva, kotouč	tire-fesses
předplatné	forfait
sedačková lanovka	télésiège
vlek	remontée mécanique

AUTRES SPORTS

S'exprimer

où peut-on louer des vélos ?
kde je možné půjčit si kola?
gdé yé mojnéé pou:ïtchite si kola?

y a-t-il des pistes cyclables ?
jsou tady cyklistické stezky?
isso-ou tadi tsiklistitskéé stéski?

est-ce que quelqu'un aurait un ballon de foot ?
nemá někdo fotbalový míč?
némaa niégdo fotbalovii miitch?

y a-t-il une piscine ?
je tady plovárna?
yé tadi plovaarna?

je cours tous les matins une demi-heure
každé ráno běhám půl hodiny
kajdéé raano biéHaame pou:l Hodyini

qu'est-ce que je fais si le kayak se renverse ?
co mám dělat, když se kajak převrátí?
tso maame diélate, kdich sé kayak prjévraatyii?

Comprendre

nedaleko nádraží je tenisový kurt
il y a un terrain de tennis pas loin de la gare

tenisový kurt je už obsazený
le court de tennis est déjà occupé

sedíte na koni poprvé?
c'est la première fois que vous montez un cheval ?

umíte plavat?   **umíš hrát basket?**
vous savez nager ?   est-ce que tu joues au basket ?

JEUX DE SOCIÉTÉ

S'exprimer

c'est à ton tour de jouer   **on se fait une partie de cartes ?**
hra je na tobě   dáme si partičku karet?
Hra yé na tobié   *daamé si partyitchkou karéte?*

tu veux prendre ta revanche ?
chceš si to rozdat ještě jednou?
Rtséch si to rozdate yéchtié yédno-ou?

on s'arrête ou on joue la belle ?
končíme, nebo budeme hrát ještě jednou?
konntchiime, nébo boudémé Hraate yéchtié yédno-ou?

Comprendre

máš karty?   **umíte hrát šachy?**
est-ce que tu as un jeu de cartes ?   vous savez jouer aux échecs ?

Quelques expressions familières

jsem vyřízený je suis rétamé
úplně mě rozdrtil il m'a littéralement écrasé

COURSES ET SHOPPING

Les commerces sont ouverts sans interruption à partir de 7 ou 8h jusqu'à 17 ou 17h30. Les magasins ouvrent du lundi au samedi midi, hormis dans les quartiers touristiques de Prague où l'on pratique des horaires plus étendus. Pendant la période précédant les fêtes de Noël, les commerces sont aussi ouverts plus tard le soir et éventuellement le dimanche.

Chaque boutique a sa spécialité. Les grandes surfaces ne sont en effet pas implantées partout. À Prague, vous trouverez des grands magasins typiquement tchèques comme **Kotva** (ouvert du lundi au dimanche sans interruption, avec nocturne le jeudi) ou **Bílá labut'**. Des centres commerciaux commencent à s'implanter à la périphérie des grandes villes.

Pour les produits d'alimentation, vous trouverez de petites épiceries (**potraviny**) dans n'importe quelle ville. Si vous voulez acheter quelque chose au poids comme de la charcuterie ou du fromage, vous devrez vous exprimer en décagrammes (**deka(gram)** abrégé **dkg**). Il est d'usage de prendre un panier ou un caddie, même si vous n'achetez rien.

Les marchés sont permanents, du lundi au samedi. On y trouve fruits, légumes, fleurs et vêtements. Les tailles sont les mêmes qu'en France.

Les prix sont affichés toutes taxes comprises. Vous pouvez payer dans presque tous les centres commerciaux par carte bancaire ; en revanche, les petites épiceries n'acceptent que le liquide.

La monnaie est la couronne tchèque (**koruna, Kč**) dont le centime est **haléř**. Lorsque vous allez dans un magasin, la vendeuse peut vous indiquer le prix de deux manières, avec ou sans indication de la devise, par exemple pour 75,50 **sedmdesát pět korun a padesát haléřů** ou **sedmdesát pět padesát**.

Pour commencer

acheter	kupovat/koupit *koupovate/ko-oupite*
bon marché	levný *lévnii*, laciný *latsinii*
boulangerie	pekařství *pékarjstvii*
boutique	obchod *opRote*
cadeau	dárek *daarék*
caisse	pokladna *pokladna*
centre commercial	nákupní centrum *naakoupgnii tséntroum*
cher	drahý *draHii*
coûter	stát *staate*
grand magasin	obchodní dům *opRodgnii dou:m*
kilo	kilo *kilo*
légumes	zelenina *zélégnina*
magasin	obchod *opRote*
marché	trh *trR*
pain	chléb *Rléépe*
payer	platit/zaplatit *platyite/zaplatyite*
prix	cena *tséna*
rembourser	vracet/vrátit peníze *vratséte/vraatyite pégniizé*
soldes	výprodej *viiprodéï*
souvenir	suvenýr *souvéniir*
supermarché	supermarket *soupérmarkét*
tabac *(lieu de vente)*	tabák *tabaak*, trafika *trafika*
ticket de caisse	účtenka *ou:tchténka*
vendeur	prodavač *prodavatch*
vendre	prodávat/prodat *prodaavate/prodate*
vêtements	oblečení *oblétchégnii*

S'exprimer

est-ce qu'il y a un supermarché dans le quartier ?
je v této čtvrti supermarket?
yé ftééto tchtvrtyi soupermarkét?

où est-ce que je peux acheter des cigarettes ?
kde se dají koupit cigarety?
gdé sé dayii ko-oupite tsigaréti?

je voudrais …
chtěl (m)/chtěla (f) bych …
Rtiél/Rtiéla biR …

nous voudrions …
chtěli bychom …
Rtiéli biRome …

je cherche …
hledám …
Hlédaame …

nous cherchons …
hledáme…
Hlédaamé …

est-ce que vous avez … ?
máte …?
maaté …?

est-ce que vous savez où je peux en trouver (ailleurs) ?
nevíte, kde (jinde) bych to dostal (m)/dostala (f)?
néviité, gdé (yindé) biR to dostal/dostala?

combien coûte ce CD ?
kolik stojí tohle cédéčko ?
kolik stoyii toHle tsédétchko ?

c'est bon, je le prends
to je dobré, vezmu si to
to yé dobréé, vézmou si to

je n'ai pas assez d'argent
nemám dost peněz
némaam dost péniéss

ça sera tout, merci
to bude všechno, děkuji
to boudé vchéRno, diékouyi

est-ce que je peux avoir un sac (plastique) ?
dal (m)/dala (f) byste mi (igelitovou) tašku?
dal/dala bisté mi (igélitovo-ou) tachkou?

vous avez fait une erreur en me rendant la monnaie
spletl (m)/spletla (f) jste se při vracení peněz
splétl/splétla sté sé prji vratségnii péniéss

Comprendre

otevřeno od... do...	ouvert de … à …
sleva	promotion
výprodej	soldes
v neděli zavřeno	fermé le dimanche
zavřeno od 12 do 14h	fermé de 12h à 14h
další přání?	**chcete tašku?**
et avec ceci ?	est-ce que vous voulez un sac ?

76

Quelques expressions familières

je to neskutečně drahé c'est hors de prix
je to zlodějina c'est du vol
nemám ani halíř/vindru/floka je n'ai pas un rond
stojí to strašně moc ça coûte les yeux de la tête
to je zadarmo c'est donné

PAYER

S'exprimer

où est-ce qu'on paye ?
kde se platí?
gdé sé platyii?

combien je vous dois ?
kolik platím?
kolik platyiime?

pourriez-vous me l'écrire, s'il vous plaît ?
můžete mi to napsat, prosím vás?
mou:jété mi to napsate, prossiime vaass?

est-ce que vous acceptez les cartes de crédit ?
dá se u vás platit kreditní kartou?
daa sé ou vaas splatyite kréditgnii karto-ou?

je vais payer en liquide
platím v hotovosti
platyiime vHotovosti

désolé, je n'ai pas de monnaie
nemám bohužel drobné
nemaame boHoujél drobnéé

je peux avoir un reçu ?
můžu dostat účtenku?
mou:jou dostate ou:tchténkou?

Comprendre

plaťte u pokladny
payez à la caisse

jak platíte?
vous réglez comment ?

tady se podepište, prosím
je vais vous demander de signer là

váš průkaz totožnosti, prosím
vous avez une pièce d'identité ?

opravdu nemáte drobné?
vous n'avez pas du tout de monnaie ?

ALIMENTATION

S'exprimer

où est-ce qu'on peut acheter à manger à cette heure-ci ?
kde se v tuto dobu dají koupit potraviny?
gdé sé ftouto dobou dayii ko-oupite potravini?

y a-t-il un marché ?
je tady trh?
yé tadi trR?

y a-t-il une boulangerie dans le coin ?
je tady někde pekařství?
yé tadi niégdé pékarjstvii?

je cherche le rayon des conserves
hledám konzervy
Hlédaame konnzervi

je voudrais 5 tranches de jambon
chtěl (m)/chtěla (f) bych pět plátků šunky
Rtiél/Rtiéla biR piéte plaatkou: chounnki

je vais prendre un petit morceau de ce fromage de brebis
vezmu si kousek tohoto ovčího sýra
vézmou si ko-oussek toHoto oftchiiHo siira

non, pas celui-ci, celui-là, plus à droite, oui c'est ça
ne, ten ne, tamten, víc vpravo, ano, to je ono
né, tén né, tammtén, viits fpravo, ano, to yé ono

c'est pour 4 personnes
je to pro čtyři osoby
yé to pro tchtirji ossobi

environ 300 grammes
asi třicet deka
assi trjitséte déka

un kilo de pommes de terre, s'il vous plaît
kilo brambor, prosím
kilo brammbor, prossiime

un peu plus/moins
trochu víc/míň
troRou viits/miign

c'est possible de goûter ?
můžu ochutnat?
mou:jou oRoutnate?

78

ça se conserve bien ? vydrží to? *vidrjii to?*	**on peut voyager avec ?** můžu si to vzít na cestu? *mou:jou si to vziite na tséstou?*

Comprendre

krajové speciality	spécialités de la région
lahůdky	traiteur
mléčné výrobky	produits laitiers
spotřebujte do ...	à consommer avant le …

na rohu ulice je koloniál
il y a un épicier juste au coin de la rue

trh je každý den do šestnácti hodin
il y a un marché tous les jours jusqu'à 16h

HABILLEMENT

S'exprimer

je cherche le rayon hommes hledám pánské oddělení *Hlédaame paanskéé oddiélégnii*	**je peux l'essayer ?** můžu si to vyzkoušet? *mou:jou si to visko-ouchéte?*

non, merci, je regarde seulement
ne, děkuji, jen se podívám
né, diékouyi, yén sé podyivaame

je voudrais essayer celui-là qui est en vitrine
chtěl *(m)*/chtěla *(f)* bych si vyzkoušet ten za výlohou
Rtiél/Rtiéla biR si visko-ouchéte tén za viiloHo-ou

je chausse du 39 mám číslo třicet devět *maame tchiislo trjitséte déviéte*	**où sont les cabines d'essayage ?** kde jsou (zkušební) kabiny? *gdé isso-ou (skouchébgnii) kabini?*

c'est trop large je to moc široké *yé to mots chirokéé*	**oui, ça va, je les prends** ano, dobře, vezmu si je *ano, dobrjé, vézmou si yé*

vous ne l'avez pas dans une autre couleur ?
nemáte jinou barvu?
némaaté yinou-ou barvou?

est-ce que vous l'avez dans une plus petite/grande taille ?
máte větší/menší číslo?
maaté viétchii/ménchii tchiislo?

est-ce que vous les avez en rouge ?
máte je v červené barvě?
maaté yé ftchérvénéé barvié?

non, je n'aime pas	**je vais réfléchir**
ne, nelíbí se mi	ještě si to rozmyslím
né, néliibii sé mi	*yéchtié si to rozmisliime*

Comprendre

dámské oděvy	vêtements pour femmes
dětské oděvy	vêtements pour enfants
pánské oděvy	vêtements pour hommes
otevřeno v neděli	ouverture le dimanche
ve čtvrtek prodloužená	nocturne les jeudis
otevírací doba	
zboží nakoupené ve výprodeji	les articles en soldes ne peuvent pas
nevyměňujeme	être échangés
zkušební kabiny	cabines d'essayage

dobrý den, přejete si?	**padne vám dobře**
bonjour, je peux vous aider ?	ça vous va bien

máme je jen v modré nebo v černé barvě
il ne nous en reste que en bleu ou en noir

máme jen tuto velikost
il ne nous en reste plus dans cette taille

co tomu říkáte?
alors ? qu'est-ce que vous en pensez ?

SOUVENIRS ET CADEAUX

COURSES ET SHOPPING

S'exprimer

je cherche un cadeau à ramener
sháním nějaký dárek
sRaagniime niéyakii daarék

je voudrais quelque chose de facile à transporter
chtěl (m)/chtěla (f) bych něco, co se dá snadno převážet
Rtiél/Rtiéla biR niétso, tso sé daa snadno prjévaajéte

c'est pour une petite fille de 4 ans
je to pro čtyřletou holčičku
yé to pro tchtirjléto-ou Holtchitchkou

est-ce que vous pouvez me faire un paquet-cadeau ?
můžete mi to zabalit jako dárek?
mou:jété mi to zabalite yako daarék?

Comprendre

bavlněný	en coton
dřevěný	en bois
ruční výroba	fait main
řemeslná výroba	produit artisanal
stříbrný	en argent
vlněný	en laine
zlatý	en or

přijde na to, v jaké ceně
ça dépend combien vous êtes prêt à dépenser

přejete si dárkové balení
c'est pour offrir ?

PHOTO

ⓘ

Les pellicules et le développement des photos coûtent moins cher qu'en France. En général, les négatifs ne sont pas coupés. Vous pouvez faire développer vos photos dans l'un des nombreux laboratoires de Prague, ou, si vous êtes dans une ville plus petite, à l'entrée des supermarchés.

Pour commencer

appareil jetable	jednorázový fotoaparát *yédnoraazovii fotoaparaate*
appareil numérique	numerický fotoaparát *nouméritskii fotoaparaate*
appareil photo	fotoaparát *fotoaparaate*, fot'ák *fotyaak*
brillant	lesklý *lésklii*
couleur	barevný *barévnii*
diapositive	diapozitiv *diapozitif*
exemplaire	exemplář *éxémplaarj*
faire développer des photos	dát vyvolat fotky *daate vivolate fotki*
mat	matný *matnii*
noir et blanc	černobílý *tchérnobiilii*
pellicule	film *film*
pose	snímek *sgniimék*
prendre une photo/ des photos	fotit/vyfotit *fotyite/vifotyite*

S'exprimer

est-ce que vous pourriez nous prendre en photo ?
můžete nás vyfotit?
mou:jété naass vifotyite?

il suffit d'appuyer sur ce bouton
stačí stisknout tenhle knoflík
statchii stiskno-oute ténHlé knofliik

je voudrais une pellicule couleur 200 ASA
chtěl *(m)*/chtěla *(f)* bych barevný film dvě stě ASA
Rtiél/Rtiéla biR barévnii film dvié stié assa

est-ce que vous avez des pellicules noir et blanc ?
máte černobílý film?
maaté tchérnobiilii film?

ça coûte combien pour développer une pellicule de 36 poses ?
kolik stojí vyvolání filmu s třiceti šesti snímky?
kolik stoyi vivolaagnii filmou stjitsétyi chéstyi sgniimki?

je voudrais faire développer cette pellicule
chtěl *(m)*/chtěla *(f)* bych dát vyvolat tenhle film
Rtiél/Rtiéla biR daate vivolate ténHlé film

je voudrais faire des doubles de certaines photos
chtěl *(m)*/chtěla *(f)* bych některé fotky dvakrát
Rtiél/Rtiéla biR niéktéréé fotki dvakraate

3 exemplaires de la numéro 4 et un de la 7
třikrát číslo čtyři a jednou číslo sedm
trjikraate tchiisslo tchtirji a yédno-ou tchiisslo sédm

je viens chercher mes photos
jdu si pro fotky
ïdou si pro fotki

j'ai un problème avec mon appareil photo
mám problém s fotoaparátem
maame problém sfotoaparaatém

je ne sais pas ce que c'est
nevím, co to může být
néviime, tso to mou:jé biite

le flash ne marche pas
blesk nefunguje
blésk néfoungouyé

je n'ai pas pris beaucoup de photos
moc jsem nefotil *(m)*/nefotila *(f)*
mots issém néfotyil/néfotyila

Comprendre

expresní servis service express
standardní formát format standard
vyvolání za hodinu développement en une heure

jé možné, že došla baterie
c'est peut-être la pile qui est morte

jestli by vás to zajímalo, druhý exemplář je za poloviční cenu
si ça vous intéresse, les doubles sont à moitié prix

na jméno?
c'est à quel nom ?

na kdy je chcete?
vous les voulez pour quand ?

fotky mohou být vyvolané do hodiny
on peut vous les développer en une heure

vaše fotky budou hotové ve čtvrtek v poledne
vos photos seront prêtes à partir de jeudi midi

PHOTO

84

LA BANQUE

Vous trouverez partout des distributeurs. Tous les types de cartes sont généralement acceptés. Des frais de change vous seront facturés. Vous pouvez également changer de l'argent liquide ou des Travellers Cheques dans les banques. Les horaires d'ouverture sont sensiblement les mêmes qu'en France. Comme vous aurez du mal à changer les devises non dépensées à votre retour en France, il est préférable de les dépenser sur place ou de les changer au bureau de change de l'aéroport.

Pour commencer

banque	banka *bannka*
billet *(de banque)*	bankovka *bannkofka*
bureau de change	směnárna *smiénaarna*
carte de crédit	kreditní karta *kréditgnii karta*
changer *(de l'argent)*	měnit/vyměnit (peníze) *miégnite/vimiégnite (pégniizé)*
code confidentiel	tajný kód *tainii koode*, PIN *pine*
commission	komisní poplatek *komissgnii poplaték*
compte (bancaire)	(bankovní) konto *(bannkovgnii) konnto*
distributeur **(automatique)**	bankomat *bannkomate*
guichet	přepážka *prjépaajka*
pièce *(de monnaie)*	mince *minntsé*
retirer de l'argent	vyzvednout peníze *vizvédno-oute pégniizé*
retrait	výběr *viibiér*
Travellers Cheques®	cestovní šeky *tséstovgnii chéki*
virement	převod *prjévote*, poukaz *po-oukass*

S'exprimer

où est-ce qu'il y a un bureau de change ?
kde je tady směnárna?
gdé yé tadi smiénaarna?

les banques sont-elles ouvertes le samedi ?
mají banky otevřeno v sobotu?
mayii bannki otévrjéno fsobotou?

je cherche un distributeur automatique
hledám bankomat
Hlédaame bannkomate

je voudrais changer 80 euros
chtěl (m)/chtěla (f) bych vyměnit osmdesát eur
Rtiél/Rtiéla biR vimiégnite ossmdessate éour

qu'est-ce que vous prenez comme commission ?
jaký je komisní poplatek?
yakii yé komissgnii poplatek?

je voudrais faire un virement
chtěl (m)/chtěla (f) bych dát příkaz k převodu
Rtiél/Rtiéla biR daate prjiikass kprjévodou

ça va prendre combien de temps ?
jak dlouho to bude trvat?
yak dlo-ouHo to boudé trvate?

je voudrais signaler la perte de mes cartes de crédit
chtěl (m)/chtěla (f) bych ohlásit ztrátu kreditních karet
Rtiél/Rtiéla biR oHlaasite straatou kréditgniiR karét

le distributeur de billets a avalé ma carte
bankomat mi nevrátil kartu
bannkomate mi névraatil kartou

Comprendre

přístroj (momentálně) mimo provoz
appareil (momentanément) hors service

výběr s potvrzenkou
retrait avec reçu

zadejte PIN
tapez votre code confidentiel

zasuňte kartu
insérez votre carte

zvolte částku
choisissez votre montant

> **Quelques expressions familières**
>
> **prachy** pognon
> **kačka** couronne

LA POSTE

Vous reconnaîtrez la poste tchèque à son logo jaune et bleu. Les horaires d'ouverture des bureaux de poste sont du lundi au vendredi de 8h à 16h. Il y en a au moins un dans chaque ville. Souvent, ils font également office de caisse d'épargne : à chaque guichet est indiqué quel service est dispensé. À Prague, la poste centrale (**Hlavní pošta**, Jindrišská 14), est ouverte jusqu'à minuit.

Il y a un tarif unique pour les cartes postales et les lettres. On peut acheter des timbres dans les bureaux de poste, les bureaux de tabac (**trafika**) et les boutiques de souvenirs. Notez que le courrier met souvent du temps à arriver à destination. Les boîtes aux lettres sont oranges et n'ont qu'une fente : pas de distinction donc entre courrier local, national et international.

Pour commencer

carte postale	pohled *poHlét*, pohlednice *poHlédgnitsé*
code postal	poštovní směrovací číslo *pochtovgnii smiérovatsii tchiislo*
colis	balík *baliik*
courrier	pošta *pochta*
écrire	psát/napsat *psaate/napsate*
enveloppe	obálka *obaalka*
envoyer	posílat/poslat *possiilate/poslate*
lettre	dopis *dopiss*
par avion	letecky *lététski*
poste	pošta *pochta*
recevoir	dostat *dostate*
timbre	známka *znaamka*

où est-ce que je peux trouver un bureau de poste ?
kde najdu poštu?
gdé naïdou pochtou?

y a-t-il une boîte aux lettres par ici ?
je tady někde poštovní schránka?
yé tadi niégdé pochtovgnii sRraanka?

est-ce que la poste est ouverte le samedi ?
je pošta otevřená v sobotu?
yé pochta otévrjénaa fsobotou?

à quelle heure ferme la poste ?
v kolik hodin se na poště zavírá?
fkolik Hodyine sé na pochtié zaviiraa?

je voudrais 5 timbres pour la France
chtěl (m)/chtěla (f) bych pět známek do Francie
Rtiél/Rtiéla biR piéte znaamék do franntsié

combien coûte un timbre pour la Suisse ?
kolik stojí známka do Švýcarska?
kolik stoyii znaamka do chviitsarska?

je voudrais envoyer ce colis à Lyon par avion
chtěl (m)/chtěla (f) bych poslat tento balík letecky do Lyonu
Rtiél/Rtiéla biR poslate ténto baliik létéski do lyonou

combien de temps ça met pour arriver ?
za jak dlouho dojde?
za yak dlo-ouHo doïde?

où est-ce que je peux acheter des enveloppes ?
kde můžu koupit obálky?
gdé mou:jou ko-oupite obaalki?

y a-t-il du courrier pour moi ?
je pro mne nějaká pošta?
yé pro mnié niéyakaa pochta?

si je reçois du courrier, est-ce que vous pourriez me le faire suivre en France ?
je možné nechat si převést případnou poštu do Francie?
yé mojnéé néRate si prjévéést prjiipadno-ou pochtou do franntsié?

Comprendre

> **Déchiffrer les abréviations**
> **nám.** = náměstí (place)
> **PSČ** = Poštovní směrovací číslo (code postal)
> **tř.** = třída (avenue)
> **ul.** = ulice (rue)

doručitel	destinataire
křehké	fragile
odesílatel	expéditeur
schránka se vybírá ...	levée à …
dopis dojde za tři až pět dnů	
ça met entre 3 et 5 jours	

CAFÉS INTERNET, E-MAILS

Il y a beaucoup de cybercafés, surtout dans les grandes villes. S'ils n'ont pas une connexion à la maison, les Tchèques peuvent se connecter soit au travail, soit à l'école. Notez qu'on utilise le clavier international QWERTY, différent du clavier français.

Pour commencer

adresse e-mail	e-mailová adresa	*imeïlovaa adressa*
arobase	zavináč	*zavinaatch*
café Internet	internetová kavárna	*innternétovaa kavaarna*
clavier	klávesnice	*klaavesgnitsé*
coller	vložit	*vlojite*
copier	kopírovat	*kopiirovate*
couper	vyjmout	*viymo-oute*
effacer	zrušit	*zrouchite*
e-mail	e-mail	*i-meïl*
envoyer un e-mail	poslat e-mail	*poslate i-meïl*, mailovat *meïlovate*
mot de passe	heslo	*Héslo*
recevoir	dostat	*dostate*
sauvegarder	uložit	*oulojite*
télécharger	stahovat	*staHovate*, download *daounlode*
touche	klávesa	*klaavesa*

S'exprimer

y a-t-il un café Internet ici ?
je tady někde internetová kavárna?
yé tadi niégdé innternétovaa kavaarna?

je dois aller au café Internet pour vérifier mon mail
musím jít do internetové kavárny zkontrolovat si mail
moussiime yiite do innternétovéé kavaarnii skontrolovate si meïl

91

est-ce que vous avez une adresse e-mail ?
máte e-mailovou adresu?
maaté i-meïlovo-ou adressou?

je voudrais m'ouvrir une adresse e-mail
chtěl (m)/chtěla (f) bych si zařídit e-mailovou adresu
Rtiél/Rtiéla biR si zarjiidyite i-meïlovo-ou adressou

ça ne marche pas
nefunguje to
néfoungouyé to

je voudrais un ticket pour …
chtěl (m)/chtěla (f) bych lístek na …
Rtiél/Rtiéla biR liisték na …

comment est-ce que je me connecte ?
jak dostanu spojení?
yak dostanou spoïegnii ?

est-ce que vous pouvez m'aider, je ne sais pas comment ça marche
mohl (m)/mohla (f) byste mi pomoct, nevím, jak to funguje
moHl/moHla bisté mi pomotst, néviime, yak to foungouyé

je ne trouve pas l'arobase sur le clavier
nemůžu na klávesnici najít zavináč
némou:jou na klaavesnitsi nayite zavinaatch

il y a un problème, c'est bloqué
mám problém, je to zablokované
maame probléém, yé to zablokovannéé

est-ce qu'on peut téléphoner par Internet ici ?
dá se tady přes internet telefonovat?
daa sé tadi prjéss innternét téléfonovate?

Comprendre

doručená pošta   boîte de réception
odeslaná pošta   boîte d'envoi

musíte si počkat asi dvacet minut
il y a environ 20 minutes d'attente

můžu vás zapsat do seznamu
je peux vous inscrire sur la liste

TÉLÉPHONE

Les cabines téléphoniques sont jaunes et bleues (**Český telecom**). En général, vous trouverez des cabines à cartes et des cabines à pièces. Les cartes de téléphone se trouvent dans tous les kiosques et les buralistes, ainsi que dans les magasins touristiques.

Pour appeler la France, composez le 00 33 suivi du numéro à 9 chiffres (c'est-à-dire sans le 0 initial). L'indicatif de la Belgique est le 00 32 et celui de la Suisse le 00 41.

L'indicatif de la République tchèque est le 00 420. Les numéros tchèques se composent de neuf chiffres et chaque ville a son indicatif.

Pour commencer

allô *(personne qui appelle)*	haló *Haloo*	
allô *(personne qui décroche)*	haló/ano (prosím) *Haloo/ano (prossiime)*	
annuaire	telefonní seznam *téléfognii sézname*	
appel international/ national/local	mezinárodní/meziměstský/místní hovor *mézinaarodgnii/mézimiéstskii/miistgnii Hovor*	
appeler quelqu'un	volat/zavolat někomu *volate/zavolate niékomou*	
cabine téléphonique	telefonní kabina *téléfognii kabina*	
carte de téléphone	telefonní karta *téléfognii karta*	
message	vzkaz *fskass*	
numéro de téléphone	telefonní číslo *téléfognii tchiislo*	
Pages jaunes®	Zlaté stránky® *zlatée straanki*	
portable	mobil *mobil*	
renseignements	informace *innformatsé*	
répondeur	záznamník *zaaznamgniik*	
téléphone	telefon *téléfone*	
téléphoner	telefonovat/zatelefonovat *téléfonovate/zatéléfonovate*	

S'exprimer

où est-ce que je peux acheter une carte de téléphone ?
kde si můžu koupit telefonní kartu?
gdé si mou:jou ko-oupite téléfognii kartou?

une carte de téléphone de ... couronnes, s'il vous plaît
telefonní kartu za ... korun, prosím
téléfognii kartou za ... koroune, prossiime

est-ce que vous savez s'il y a une cabine téléphonique près d'ici ?
nevíte, jestli je tady poblíž telefonní kabina?
néviité, yéstli yé tadi pobliich téléfognii kabina?

pourriez-vous me faire la monnaie de ..., c'est pour téléphoner ?
mohl *(m)*/mohla *(f)* byste mi rozměnit ... na telefon?
moHl/moHla biste mi rozmniégnite ... na téléfone?

je voudrais appeler en PCV
chtěl *(m)*/chtěla *(f)* bych volat na účet volaného
Rtiél/Rtiéla biR volate na ou:tchéte volanééHo

est-ce que vous pouvez répéter plus lentement ?
můžete to pomalu zopakovat?
mou:jété to pomalou zopakovate?

est-ce que vous pouvez parler plus fort ?
můžete mluvit hlasitěji?
mou:jété mlouvite Hlassitiéyi?

est-ce que vous parlez français ?
mluvíte francouzsky?
mlouviité franntso-ouski?

est-ce qu'il y a une prise pour que je recharge mon portable ?
je tady zásuvka? musím si dobít mobil
yé tadi zaasoufka? moussiime si dobiite mobil

vous avez un numéro de portable ?
máte číslo mobilního telefonu?
maaté tchiislo mobilgniiHo téléfonou?

où est-ce que je peux vous joindre pendant la journée ?
kam vás můžu přes den volat?
kame vaas mou:jou prjéss dén volate?

tu as eu mon message ?
dostal *(m)*/dostala *(f)* jsi můj vzkaz?
dostal/dostala ssi mou:ï fskass?

avez-vous eu mon message ?
dostal *(m)*/dostala *(f)* jste můj vzkaz?
dostal/dostala sté mou:ï fskass?

Comprendre

bere mince ...
accepte les pièces de …

stiskněte tlačítko křížek
appuyez sur la touche dièse

číslo, které požadujete, neexistuje
le numéro que vous avez demandé n'est pas attribué

Quelques expressions familières

brknknout passer un coup de fil
za pět minut mi to sebralo všechny jednotky en 5 minutes,
ça m'a bouffé toute ma carte

FORMULES USUELLES

S'exprimer

allô, qui est à l'appareil ?
haló, s kým mluvím?
Haloo, skiime mlouviime?

c'est de la part de qui ?
kdo volá?
gdo volaa?

allô, David ?
haló, David?
Haloo, david?

allô, c'est Pierre, est-ce que je suis bien chez ... ?
haló, tady Pierre, je to byt ...?
Haloo, tadi pièr, yé to bite …?

allô, bonjour, je voudrais parler à M. ..., de la part de ...
haló, dobrý den, tady ..., chtěl *(m)*/chtěla *(f)* bych mluvit s panem ...
Haloo, dobrii dén, tadi …, Rtiél/Rtiéla biR mlouvite spaném …

vous vous êtes trompé de numéro
máte špatné číslo
maaté chpatnéé tchiislo

un instant, s'il vous plaît
okamžik, prosím
okammjik, prossiime

ne quittez pas
nezavěšujte
nézaviéchouyité

je vous le passe
předám
prjédaame

il est sorti
není tady
négnii tadi

il sera de retour dans une demi-heure
vrátí se za půl hodiny
vraatii sé za pou:l Hodyini

pouvez-vous lui dire que j'ai appelé ?
můžete mu *(m)*/jí *(f)* vyřídit, že jsem volal *(m)*/volala *(f)*?
mou:jété mou/yii virjiidyite, jé issém volal/volala?

vous avez de quoi écrire ?
máte tužku?
maaté touchkou?

mon nom est ... et mon numéro le ...
moje jméno je ..., číslo telefonu ...
moyé imééno yé ..., tchiislo téléfonou ...

est-ce que vous pouvez lui demander de me rappeler ?
požádejte ho *(m)*/ji *(f)*, aby mi zavolal *(m)*/zavolala *(f)*
pojaadeïté Ho/yi, abi mi zavolal/zavolala

est-ce que vous savez quand je peux le joindre ?
nevíte, kdy ho *(m)*/ji *(f)* můžu sehnat?
néviité, kdi Ho/yi mou:jou séHnate?

il peut me joindre au ...
může mi zavolat na číslo ...
mou:jé mi zavolate na tchiislo ...

je vous remercie, au revoir
děkuji vám, na shledanou
diékouyi vaame, nashlédano-ou

je rappellerai (plus tard)
zavolám znovu (později)
zavolaame znovou (pozdiéyi)

on s'appelle bientôt ?
zavoláme si brzy?
zavolaamé si brzi?

on se rappelle, ok ?
zavoláme si, platí?
zavolaamé si, platyii?

Comprendre

Abréviations courantes
tel. domů = telefon domů (numéro du) domicile
tel. zam. = telefon do zaměstnání (numéro au) travail
mob. tel. = mobilní telefon numéro de portable

není tady; chcete mu *(m)*/**jí** *(f)* **nechat vzkaz?**
il n'est pas là, est-ce que vous voulez laisser un message ?

okamžik, předám
un instant, je vous le passe

po zaznění signálu zanechte vzkaz
veuillez laisser un message après le bip

řeknu mu *(m)*/**jí** *(f)*, **že jste volal** *(m)*/**volala** *(f)*
je lui dirai que vous avez appelé

PROBLÈMES

S'exprimer

je ne connais pas l'indicatif
neznám předčíslí
néznaame prjétchiislii

je n'ai pas réussi à le joindre
nepodařilo se mi ho *(m)*/ji *(f)* sehnat
népodarjilo sé mi Ho/yi seHnate

ça sonne occupé
je obsazeno
yé opsazéno

ça ne répond pas
nehlásí se
néHlaassii sé

il ne me reste plus beaucoup d'unités sur ma carte
na telefonní kartě už nemám moc jednotek
na téléfognii kartié ouch némaam mots yédnotek

attends, ça va couper, il faut que je rajoute de la monnaie
počkej, hovor se přeruší, musím dát do přístroje mince
potchkeï, Hovor sé prjérouchii, moussiime daate do prjiistroyé minntsé

il y a une très mauvaise réception
spojení je špatné
spoyégnii yé chpatnéé

il n'y a pas de réception ici
tady není signál
tadi négnii sig-naal

vous savez où je peux trouver une recharge pour mon téléphone portable ?
nevíte, kde bych dostal *(m)*/dostala *(f)* náhradní kartu do mobilního telefonu?
néviité, gdé biR dostal/dostala naaHradgnii kartou do mobilgniiHo téléfonou?

est-ce que je peux brancher mon portable ici pour le recharger ?
můžu si tady dobít mobil?
mou:jou si tadi dobiite mobil?

Comprendre

asi jste si spletl *(m)*/**spletla** *(f)* **číslo**
vous avez dû vous tromper de numéro

byli jsme přerušeni
on a été coupés

slyším vás velmi špatně
je vous entends très mal

SANTÉ

Les pharmacies ont sensiblement les mêmes horaires que les magasins, sauf les pharmacies de garde qui sont ouvertes 7j/7 et 24h/24. Pour les urgences (**pohotovost**), composez le **155**. Pour trouver un médecin, généraliste ou autre, vous pouvez vous adresser au centre médical (**poliklinika**) du quartier ou de la ville.

Vous pouvez souscrire avant votre départ à une assurance telle que Europ assistance pour vous couvrir en cas de problèmes. Pour vous faire rembourser à votre retour, conservez les justificatifs.

Pour commencer

alcool à 90°	devadesátiprocentní líh *dévadéssaatyiprotséntgnii liiR*
allergie	alergie *alérguié*
ambulance	sanitka *sanitka*
aspirine	aspirín *aspiriine*
bouton	pupínek *poupiinék*
cassé	přepadlý *prjépadlii*
comprimé	tableta *tabléta*
dentiste	zubař *zoubarj*
désinfecter	dezinfikovat *dézinnfikovate*
fièvre	horečka *Horétchka*, teplota *téplota*
généraliste	praktický/obvodní lékař *praktitskii/obvodgnii lékarj*
gynécologue	gynekolog *guinékolok*
hôpital	nemocnice *némotsnitsé*
intoxication alimentaire	otrava (ze zkažených potravin) *otrava (ze skajéniiR potravine)*
médecin	lékař *léékarj*, doktor *doktor*
médicament	lék *léék*
pansement	náplast *naaplast*
pharmacie	lékárna *léékaarna*
pommade	mast *mast*

radio (rayons X)	rentgen *réntguén*
règles	menstruace *ménstrouatsé*
sang	krev *kréf*
urgences	pohotovost *poHotovost*
vaccin	očkování *otchkovaagnii*
vomir	zvracet *zvratséte*

S'exprimer

est-ce que quelqu'un aurait une aspirine par hasard ?
nemá někdo náhodou aspirín?
némaa niégdo naaHodo-ou aspiriine?

j'ai besoin d'aller voir un docteur
musím jít k doktorovi
moussiime yiite kdoktorovi

où est-ce que je peux trouver un médecin à cette heure-là ?
kde teď můžu sehnat doktora?
gdé tétie mou:jou seHnate doktora?

je voudrais prendre un rendez-vous pour aujourd'hui
chtěl (m)/chtěla (f) bych se objednat na dnešek
Rtiél/Rtiéla biR sé obiédnate na dnéchék

le plus tôt possible
co nejdřív
tso néidrjiif

non, ce n'est pas grave
ne, není to nic vážného
né, négnii to nits vaajnééHo

pouvez-vous faire venir une ambulance au ... ?
můžete poslat sanitku do/na ...?
mou:jété poslate sanitkou do/na ...?

j'ai cassé mes lunettes
rozbily se mi brýle
rozbili sé mi briilé

Comprendre

lékařská ordinace	cabinet médical
pohotovost	urgences
předpis, recept	ordonnance

volný termín je až ve čtvrtek
il n'y a rien de libre avant jeudi

hodí se vám to v pátek ve čtrnáct hodin?
vendredi à 14 heures, ça vous convient ?

CHEZ LE MÉDECIN

j'ai rendez-vous avec le Docteur …
jsem objednán *(m)*/objednána *(f)* u doktora …
issém objédnaan/objédnaana ou doktora …

je ne me sens pas bien
necítím se dobře
nétsiityiim sé dobrjé

je me sens très faible
cítím se slabý *(m)*/slabá *(f)*
tsiityiim sé slabii/slabaa

je ne sais pas ce que c'est
nevím, co to je
néviim, tso to yé

j'ai mal ici
bolí mě tady
bolii mnié tadi

ça fait mal
bolí to
bolii to

j'ai mal …
bolí mě …
bolii mnié …

j'ai mal à la tête/au ventre/au dos/à la gorge/aux dents
bolí mě hlava/břicho/záda/v krku/zub(y)
bolii mnié Hlava/brjiRo/zaada/fkrkou/zoub(i)

j'ai mal au cœur
je mi nevolno
yé mi névolno

j'ai de la fièvre
mám horečku
maame Horétchkou

ça s'est aggravé
zhoršilo se to
zHorchilo sé to

ça fait 3 jours
už tři dny
ouch trji dni

je suis tombé(e) sur le dos
spadl *(m)*/spadla *(f)* jsem na záda
spadl/spadla ssém na zaada

ça a commencé la nuit dernière
začalo to v noci
zatchalo to vnotsi

SANTÉ

c'est la première fois que ça m'arrive
je to poprvé
yé to poprvéé

j'ai de l'asthme
mám astma
maam astma

je suis cardiaque
jsem kardiak
issém kardiak

je suis sous antibiotiques depuis une semaine
už týden beru antibiotika
ouch tiidén bérou antibiotika

ça me démange
svědí mě to
sviédyii mnié to

j'ai perdu un plombage
vypadla mi plomba
vipadla mi plommba

je prends la pilule
beru antikoncepční tablety
bérou anntikonntséptchgnii tabléti

je me suis tordu la cheville
vymkl (m)/vymkla (f) jsem si kotník
vimmkl/vimmkla ssém si kotgniik

j'ai besoin de la pilule du lendemain
potřebuji prášek den po
potrjébouyi praachék dén po

je suis enceinte d'un mois/de 3 mois/de 5 mois
jsem v prvním/ve třetím/v pátém měsíci
issém fprvgniime/vé trjétyiime/fpaatéém mniéssiitsi

c'est grave ?
je to vážné?
yé to vaajnée?

c'est contagieux ?
je to nakažlivé?
yé to nakajlivéé?

comment va-t-il ?
jak mu je?
yak mou yé?

combien je vous dois ?
kolik jsem dlužen (m)/dlužna (f)?
kolik ssém dloujén/dloujna?

est-ce que je peux avoir un reçu pour me faire rembourser ?
můžu dostat stvrzenku? chci si dát proplatit výlohy
mou:jou dostate stvrzenkou? Rtsi si daate proplatyite viiloHi

---

Comprendre

počkejte si prosím v čekárně
si vous voulez bien patienter dans la salle d'attente

berete v současné době nějaké léky?
avez-vous des traitements en cours ?

bolí vás to, když stisknu tady?
ça vous fait mal quand j'appuie là ?

bude třeba operovat
il va falloir opérer

byl jste očkován *(m)*/**byla jste očkována** *(f)* **proti ...?**
êtes-vous vacciné(e) contre … ?

dýchejte zhluboka
respirez bien fort

lehněte si, prosím
allongez-vous, s'il vous plaît

mělo by se to rychle zahojit
ça devrait cicatriser rapidement

kde vás bolí?
où est-ce que ça vous fait mal ?

máte alergii na ...?
êtes-vous allergique à … ?

přijďte za týden
revenez me voir dans une semaine

v případě bolesti si vezměte tabletku
prenez une gélule en cas de douleur

za několik dní by to mělo přejít
ça devrait passer en quelques jours

À LA PHARMACIE

S'exprimer

une boîte de pansements, s'il vous plaît
prosil *(m)*/prosila *(f)* bych náplast
prossil/prossila biR naaplast

j'ai attrapé un rhume
dostal *(m)*/dostala *(f)* jsem rýmu
dostal/dostala ssém riimou

je suis allergique à l'aspirine
mám alergii na aspirín
maame alérguii na aspiriine

j'aurais besoin de quelque chose contre la toux
potřeboval *(m)*/potřebovala *(f)* bych něco proti kašli
potrjéboval/potrjébovala biR niétso protyi kachli

je voudrais prendre de l'homéopathie
chtěl *(m)*/chtěla *(f)* bych homeopatické léky
Rtiél/Rtiéla biR Homéopatitskéé lééki

je voudrais une solution de rinçage pour lentilles souples
chtěl *(m)*/chtěla *(f)* bych čistící roztok na kontaktní čočky
Rtiél/Rtiéla biR tchistyiitsii rostok na kontaktgnii tchotchki

Comprendre

čípek	suppositoires
dražé	gélule
kontraindikace	contre-indications
mast	pommade
pouze na předpis	uniquement sur ordonnance
prášek	cachet, comprimé
přikládat	appliquer
sirup	sirop
tableta	cachet, comprimé
užívat třikrát denně před jídlem	à prendre trois fois par jour avant les repas
v prášku	en poudre

Quelques expressions familières

nějak mi není dobře je suis mal fichu
nesmět se hnout z postele être cloué au lit
omdlít tomber dans les pommes

PROBLÈMES ET URGENCES

Un unique corps de police s'occupe de la sécurité en général. Les policiers portent un uniforme gris-bleu et les agents de la circulation une casquette blanche.

Composez le **158** pour joindre la police secours (**policie**) et le **150** pour les pompiers (**hasiči**). En République tchèque, les pompiers s'occupent uniquement des incendies.

Pour commencer

accident	nehoda *néHoda*
ambulance	sanitka *sanitka*
blessé	raněný *raniénii*
cassé	zlomený *zloménii*
en retard	pozdě *pozdié*
handicapé	invalida *innvalida*
incendie	požár *pojaar*
malade	nemocný *némotsnii*
médecin	lékař *léékarj*, doktor *doktor*
police	policie *politsié*
pompiers	hasiči *Hassitchi*
urgence	pohotovost *poHotovost*

S'exprimer

est-ce que vous pourriez m'aider ?
mohl *(m)*/mohla *(f)* byste mi pomoct?
moHl/moHla bisté mi pomotst?

au secours !
pomoc!
pomots!

au feu !
hoří!
Horjii!

105

attention !
pozor!
pozor!

c'est urgent !
rychle!
riRlé!

est-ce qu'il y a quelqu'un ici qui parle français ?
umí tady někdo francouzsky?
oumii tadi niégdo franntso-ouski?

je dois contacter le consulat
musím zavolat na konsulát
moussiime zavolat na konnsoulaat

que dois-je faire ?
co mám udělat?
tso maame oudiélate?

où est le commissariat le plus proche ?
kde je nejbližší policejní stanice?
gdé yé néiblichchii politséignii stagnitsé?

on m'a volé mes papiers
ukradli mi doklady
oukradli mi dokladi

j'ai perdu …
ztratil *(m)*/ztratila *(f)* jsem …
stratyil/stratyila ssém …

j'ai été agressé
napadli mě
napadli mnié

mon enfant a disparu
ztratilo se mi dítě
stratyilo sé mi dyiitié

ma voiture a été emmenée à la fourrière
odtáhli mi auto
ottaaHli mi a-outo

il y a un homme qui me suit depuis un moment
nějaký muž mě už chvíli sleduje
niéyakii mouch mnié ouch Rviili slédouyé

on a forcé la porte de ma voiture
vyrazili mi dveře u auta
virazili mi dvérjé ou a-outa

y a-t-il un accès pour handicapés ?
je tady bezbariérový přístup?
yé tadi béssbariéérovii prjiistoup?

pouvez-vous surveiller mes affaires un instant ?
můžete mi chvíli ohlídat věci?
mou:jété mi Rviili oHliidate viétsi?

Comprendre

havarijní služba	service de dépannage
horská záchranná služba	secours de montagne
nouzový východ	sortie de secours
policie	police secours
porucha	en panne
ztráty a nálezy	bureau des objets trouvés
zlý pes	chien méchant

POLICE

S'exprimer

je dois faire une déclaration de vol
musím ohlásit krádež
moussiime oHlaassite kraadéch

j'ai besoin d'un certificat de police pour ma compagnie d'assurance
pro svou pojišťovnu potřebuji doklad od policie
pro svo-ou poyichtiovnou potrjébouyi doklat ot politsié

Comprendre

Remplir un formulaire

příjmení nom
jméno prénom
adresa adresse
poštovní směrovací číslo code postal
země pays
národnost nationalité *(française...)*
státní příslušnost "citoyenneté" *(République française…)*
datum narození date de naissance

místo narození lieu de naissance
věk âge
pohlaví sexe
doba pobytu durée du séjour
datum příjezdu/odjezdu date d'arrivée/de départ
povolání profession
číslo pasu numéro de passeport

co postrádáte?
qu'est-ce qu'il vous manque ?

kde jste ubytován *(m)***/ubytována** *(f)***?**
où logez-vous ?

kdy se to stalo?
quand cela s'est-il passé ?

můžete to popsat?
pouvez-vous le décrire ?

otevřte tuto tašku, prosím
pouvez-vous ouvrir ce sac, s'il vous plaît ?

tady se, prosím, podepište
pouvez-vous signer ici, s'il vous plaît ?

vyplňte tento formulář, prosím
pouvez-vous remplir ce formulaire, s'il vous plaît ?

za toto zboží musíte zaplatit clo
il y a des droits de douane à payer sur cet article

Quelques expressions familières

polda flic
basa taule
nechat se zabásnout se faire serrer

LA DATE, L'HEURE, LE TEMPS

L'EXPRESSION DU TEMPS

Pour commencer

à l'heure du déjeuner	v době oběda *vdobié obiéda*
année	rok *rok*
après *(préposition)*	po *po*
avant *(préposition)*	před *prjét*
bientôt	brzo *brzo*
dans la soirée	večer *vétchér*
de ... à ...	od ... do ... *ot ... do ...*
déjà	už *ouch*
depuis	od *ot*
dernier	minulý *minoulii*
de temps en temps	občas *optchass*
en avance	dříve *drjiivé*
en ce moment	teď *tétie*
encore	ještě *yéchtié*
en début/milieu/fin de	začátkem/uprostřed/koncem *zatchaatkém/ouprostrjéte/konntsém*
en retard	pozdě *pozdié*
entre ... et ...	mezi ... a... *mézi ... a ...*
jamais	nikdy *nyigdi*
jour	den *dén*
jusqu'à	do *do*
longtemps	dlouho *dlo-ouHo*
maintenant	teď *tétie*
matin	ráno *raano*
midi	poledne *polédné*
nuit	noc *nots*
pas encore	ještě ne *yéchtié né*
pendant	během *biéHém*
prochain	příští *prjiichtyii*
rarement	málokdy *maalogdi*
récemment	nedávno *nédaavno*

semaine	týden *tiidén*
soir	večer *vétchér*
souvent	často *tchasto*
tard	pozdě *pozdié*
tôt	brzo *brzo*
toujours	vždycky *vjditski*, stále *staale*
tout de suite	hned *Hnét*
week-end	víkend *viiként*

S'exprimer

à bientôt !
brzy na shledanou!
brzi nasRlédano-ou!

à plus tard !/à tout à l'heure !
zatím na shledanou!
zatyiim nasRlédano-ou!

à lundi !
v pondělí na shledanou!
fpondiélii nasRlédano-ou!

désolé, je suis en retard
promiňte, že jdu pozdě
promignté, jé ïdou pozdié

on est arrivés trop tard
přijeli jsme příliš pozdě
prjiyéli sme prjiilich pozdié

dépêchez-vous
pospěšte si
pospiéchté si

je n'ai pas eu le temps de …
neměl *(m)*/neměla *(f)* jsem čas …
némniél/némniéla ssém tchass …

je n'ai pas encore été là-bas
ještě jsem tam nebyl *(m)*/nebyla *(f)*
yéchtié issém tame nébil/nébila

j'ai tout mon temps
mám dost času
maame dost tchassou

je suis pressé
pospíchám
pospiiRaame

un instant, s'il vous plaît
okamžik, prosím
okammjik, prossiime

il ne nous reste plus que 4 jours
zbývají nám jen čtyři dny
zbiivayii naame yén tchtirji dni

je me suis couché(e) tard
šel *(m)*/šla *(f)* jsem spát pozdě
chél/chla ssém spaate pozdié

on s'est couchés tard
šli jsme spát pozdě
chli smé spaate pozdié

je me suis levé(e) très tôt
vstal *(m)*/vstala *(f)* jsem velmi
brzo
fstal/fstala ssém velmi brzo

on s'est levés très tôt
vstali jsme velmi brzo
fstali ssmé velmi brzo

j'ai attendu longtemps   on a attendu longtemps
čekal *(m)*/čekala *(f)* jsem dlouho čekali jsme dlouho
tchékal/tchékala ssém dlo-ouHo   tchékali ssmé dlo-ouHo

je dois me réveiller très tôt demain pour prendre l'avion
musím zítra vstát velmi brzo, protože brzo odlétám
moussiime ziitra fstaate vélmi brzo, protojé brzo odléétaame

LA DATE

Comment dire et écrire la date

Il y a plusieurs manières d'écrire la date (*11 octobre 2004* peut s'écrire 11. října 2004, 11. 10. 2004, 11/10/2004...) mais elle se lit toujours de la même façon (jedenáctého října dva tisíce čtyři). On emploie l'adjectif ordinal (*11e*) au génitif pour le jour, le nom du mois au même cas, suivi des nombres cardinaux pour l'année. L'ordinal est marqué par un point (**1.** = **první**).

Lorsqu'on indique uniquement le mois, par exemple *en novembre 2004*, on utilise la préposition **v** suivie du mois au locatif : **v listopadu 2004**. Une période s'exprime au moyen des prépositions **od ... do**, par exemple *entre 1969 et 1977* : **od 1969 do 1977**.

Pour les siècles, on utilise les ordinaux :
au Ier siècle avant J.-C. **v prvním století př.n.l.** (**před naším letopočtem** = *avant notre ère*)/**př.Kr.** (**před Kristem**, *avant J.-C.*)
au IIIe siècle après J.-C. **ve třetím století n.l.** (**našeho letopočtu** = *de notre ère*)/**po Kr.** (**po Kristu**, *après J.-C.*)
l'art du XVIe siècle **umění 16. století**
au début/au milieu/à la fin du XVIIe siècle **na začátku/v polovině/na konci 17. století**

Pour commencer

à la fin de	koncem *konntsém*
après-demain	pozítří *poziitrjii*
au début	začátkem *zatchaatkém*
aujourd'hui	dnes *dnéss*
avant-hier	předevčírem *prjédéftchiirém*
dans deux jours	za dva dny *za dva dni*
demain	zítra *ziitra*

demain matin/	zítra ráno/odpoledne/večer
après-midi/soir	*ziitra raano/otpolédné/vétchér*
hier	včera *ftchéra*
hier matin/après-midi/	včera ráno/odpoledne/večer
soir	*ftchéra raano/otpolédné/vétchér*
il y a ...	před ... *prjéte ...*

S'exprimer

je suis né(e) en ...
narodil *(m)*/narodila *(f)* jsem se v roce ...
narodyil/narodyila ssém sé vrotsé ...

je suis déjà venu(e) il y a plusieurs années
byl *(m)*/byla *(f)* jsem tady před několika lety
bil/bila ssém tadi prjéte niékolika léti

j'ai passé un mois en République tchèque il y a quelques années
před několika lety jsem strávil *(m)*/strávila *(f)* v České republice
měsíc
prjéte niékolika léti ssém straavil/straavila ftchéskéé répoublitsé mniéssits

j'étais venu(e) l'année dernière à la même époque
byl *(m)*/byla *(f)* jsem tady loni ve stejnou dobu
bil/bila ssém tadi logni vé stéïno-ou dobou

on est quel jour aujourd'hui ? **on est mardi 1ᵉʳ mai**
který je dnes den? dnes je prvního května
ktérii yé dnéss dén? *dnéss yé prvgniiHo kviétna*

on est le combien aujourd'hui ?
kolikátého je dnes?
kolikaatééHo yé dnéss?

je reste jusqu'à dimanche **on s'en va demain**
zůstanu až do neděle odjíždíme zítra
zou:stanou ach do nédiélé *odyiijdyiimé ziitra*

j'ai déjà quelque chose de prévu mardi
na úterý už mám něco v plánu
na ou:térii ouch maame niétso fplaanou

LA DATE, L'HEURE, LE TEMPS

112

Comprendre

dvakrát	deux fois
jednou	une fois
každé pondělí	tous les lundis
každý den	tous les jours
třikrát za den/hodinu	trois fois par jour/heure

bylo to postaveno v polovině devatenáctého století
ça a été construit au milieu du XIXe siècle

do kdy zůstáváte?   **kdy odjíždíte?**
vous restez jusqu'à quand?   quand est-ce que vous repartez?

v létě je hodně festivalů
il y a beaucoup de festivals pendant l'été

vychází jednou za čtrnáct dní
ça sort une fois toutes les deux semaines

LA DATE, L'HEURE, LE TEMPS

L'HEURE

Comment dire l'heure

On dit **je pět hodin** pour *il est cinq heures*. Le mot *heure* (**hodina**) est souvent omis dans la langue parlée. Lorsque le moment de la journée évoqué est évident, il n'est pas nécessaire de préciser **ráno** (*du matin*), **odpoledne** (*de l'après-midi*), **večer** (*du soir*). Dans un contexte officiel, il est préférable d'utiliser **sedmnáct hodin** (17h). Les horaires de transports sont affichés de cette manière : **17:00**.

Pour commencer

à l'heure	**včas** *ftchass*
de l'après-midi	**odpoledne** *otpolédné*
du matin	**ráno** *raano*
être en avance	**přijít dřív** *prjiyiite drjiif*
être en retard	**přijít pozdě** *prjiyiite pozdié*
midi	**poledne** *polédné*

113

minuit	půlnoc *pou:lnots*
trois quarts d'heure	tři čtvrtě hodiny *trji tchtvrtié Hodyini*
un quart d'heure	čtvrthodina *tchtvrtHodyina*
une demi-heure	půlhodina *pou:lHodyina*
vingt minutes	dvacet minut *dvatséte minoute*

S'exprimer

excusez-moi, est-ce que vous auriez l'heure, s'il vous plaît ?
promiňte, prosím vás, nevíte, kolik je hodin?
promignté, prossiime vaass, néviité, kolik yé Hodyine?

quelle heure est-il ?
kolik je hodin?
kolik yé Hodyine?

il est midi vingt
je čtvrt na jednu a pět minut
yé tchtvrt na yédnou a piéte minoute

il est trois heures pile
jsou přesně tři
isso-ou prjesnié trji

il est presque treize heures
je skoro třináct hodin
yé skoro trjinaats Hodyine

il est une heure et quart
je čtvrt na dvě
yé tchtvrt na dvié

il est une heure moins le quart
je tři čtvrtě na jednu
yé trji tchtvrtié na yédnou

il est midi moins vingt
je za pět minut tři čtvrtě na dvanáct
yé za piéte minoute trji tchtvrt na dvanaactst

il est une heure et demie
je půl druhé
yé pou:l drouHéé

il est une heure dix
je jedna hodina a deset minut
yé yédna Hodyina a desséte minoute

je suis arrivé(e) vers deux heures
přijel *(m)*/přijela *(f)* jsem asi ve dvě hodiny
prjiyél/prjiyéla ssém assi vé dvié Hodyini

je me suis couché(e) vers deux heures
šel *(m)*/šla *(f)* jsem spát kolem druhé
chél/chla ssém spaate kolém drouHéé

j'ai mis le réveil à neuf heures
nařídil *(m)*/nařídila *(f)* jsem budík na devátou
narjiidyil/narjiidyila ssém bouyiik na dévaato-ou

j'ai attendu vingt minutes
čekal *(m)*/čekala *(f)* jsem dvacet minut
tchékal/tchékala ssém dvatséte minoute

le train a eu quinze minutes de retard
vlak měl patnáct minut zpoždění
vlak mniél patnaatst minoute spojdiégnii

je suis rentré(e) à la maison il y a une heure
přišel *(m)*/přišla *(f)* jsem domů před hodinou
prjichél/prjichla ssém domou: prjéte Hodyino-ou

on se retrouve dans une demi-heure ?
sejdeme se za půl hodiny?
seïdémé sé za pou:l Hodyini?

je serai de retour d'ici un quart d'heure
vrátím se za čtvrt hodiny
vraatyiime sé za tchtvrt Hodyini

Comprendre

jede každou hodinu	départ toutes les heures
otevřeno od sedmi do	guichet ouvert de 7h à
šestnácti hodin bez	16h sans interruption
přestávky	

... se hraje každý den v devatenáct hodin
ça joue tous les jours à dix-neuf heures

... trvá asi hodinu a půl
ça dure environ une heure et demie

otevřeno od deseti hodin	**otevřeno od dvou hodin**
ça ouvre à partir de dix heures	ça rouvre à deux heures

Quelques expressions familières

přesně ve dvě à 2 heures pile
v osm a něco à 8 heures et des poussières
přijít s křížkem po funuse arriver après la bataille
čekat věčnost attendre une éternité

LES NOMBRES

ⓘ

En tchèque, les ordinaux sont toujours suivis d'un point. On lira **2 dva**, mais **2. druhý**. Pour exprimer les décimales, on utilise une virgule à l'écrit (**3,5**), ce qui s'énonce à l'oral **tři celé pět**. Si le nombre est 5 ou supérieur à 5, on utilise le génitif pluriel : **5,3 pět celých tři**. Voir la grammaire p. 183.

0 nula *noula*
1 jedna *yédna*
2 dva *dva*
3 tři *trji*
4 čtyři *tchtirji*
5 pět *piéte*
6 šest *chést*
7 sedm *sédm*
8 osm *osm*
9 devět *déviéte*
10 deset *désséte*
11 jedenáct *yédénaatst*
12 dvanáct *dvanaatst*
13 třináct *trjinaatst*
14 čtrnáct *tchtrnaatst*
15 patnáct *patnaatst*
16 šestnáct *chéstnaatst*
17 sedmnáct *sédmnaatst*
18 osmnáct *osmnaatst*
19 devatenáct *dévaténaatst*
20 dvacet *dvatséte*
21 dvacet jedna *dvatséte yédna*
22 dvacet dva *dvatséte dva*
30 třicet *trjitséte*
35 třicet pět *trjitséte piéte*
40 čtyřicet *tchtjirjitséte*
50 padesát *padéssaate*
60 šedesát *chédéssaate*

70 sedmdesát *sédmdéssaate*
80 osmdesát *osmdéssaate*
90 devadesát *dévadéssaate*
100 sto *sto*
101 sto jedna *sto yédna*
200 dvě stě *dvié stié*
300 tři sta *trji sta*
400 čtyři sta *tchtirji sta*
500 pět set *piéte sét*
1000 tisíc *tyissiits*
2000 dva tisíce *dva tyissiitsé*
10 000 deset tisíc *désséte tyissiits*
1 000 000 milión *milioone*

premier první *prvgnii*
deuxième druhý *drouHii*
troisième třetí *trjétii*
quatrième čtvrtý *tchtvrtii*
cinquième pátý *paatii*
sixième šestý *chéstii*
septième sedmý *sédmii*
huitième osmý *osmii*
neuvième devátý *dévaatii*
dixième desátý *déssaatii*
vingtième dvacátý *dvatsaatii*
vingt et unième dvacátý první
   dvatsaatii prvgnii

20 plus 3 égale 23
dvacet plus tři rovná se dvacet tři
dvatséte plouss trji rovnaa sé dvatséte trji

20 moins 3 égale 17
dvacet mínus tři rovná se sedmnáct
dvatséte miinouss trji rovnaa sé sédmnaatst

20 multiplié par 4 égale 80
dvacet krát čtyři rovná se osmdesát
dvatséte kraate tchtirji rovnaa sé osmdéssaate

20 divisé par 4 égale 5
dvacet děleno čtyřmi rovná se pět
dvatséte diéléno tchtirjmi rovnaa sé piéte

DICTIONNAIRE

FRANÇAIS – TCHÈQUE

A

à : **à Paris** do Paříže ; **à la gare** na nádraží ; **à 2 km d'ici** dva kilometry odsud ; **je vais à Paris** jedu do Paříže ; **je vais à la gare** jdu na nádraží ; **à 3 heures** ve tři hodiny
abbaye opatství n
abeille včela f
abîmé zničený
abord : **d'abord** nejdřív
abordable dostupný
abricot meruňka f
accélérateur pedál m plynu
accent přízvuk m
accepter přijímat/přijmout ; *(carte de crédit, pièces)* brát *(imperf)* **34, 77**
accès přístup m **106**
accident nehoda f
accompagner doprovázet/doprovodit ; *(en voiture)* jezdit/jet s *(+instr)*
accord : **d'accord** dobře ; **je suis d'accord** souhlasím **20**
accueil informace fpl
accueillant milý
accusé de réception stvrzenka f
acheter kupovat/koupit **24, 75, 78**
adaptateur adaptér m
addition účet m **48**
adolescent dospívající
adorer zbožňovat **20**
adresse adresa f
adresse e-mail e-mailová adresa f **92**
adulte dospělý
aéroport letiště n
affaires *(commerce)* záležitosti fpl ; *(personnelles)* věci fpl **106**

affiche plakát m
affreux hrozný
Afrique Afrika f
âge věk m ; **quel âge as-tu ?** kolik je ti let? **16**
agence de voyages cestovní kancelář f
aggraver (s') horšit se/zhoršit se **101**
agneau *(viande)* jehněčí (maso)
agréable příjemný
agresser napadnout **106**
aide pomoc f
aider pomáhat/pomoci **105**
ail česnek m
ailleurs jinde ; **d'ailleurs** *(au fait)* ostatně
aimer *(apprécier)* mít rád m/ráda f **8, 19, 20, 80** ; *(d'amour)* mít rád m/ráda f/milovat ; **j'aimerais** rád m/ráda f bych **8, 20**
air vzduch m ; **en plein air** pod širým nebem ; **avoir l'air** vypadat *(imperf)*
alcool alkohol m ; **alcool à 90°** devadesátiprocentní líh m
Allemagne Německo n
Allemand(e) Němec, Němka
allemand německý
aller *(n)* cesta f tam
aller *(v)* *(à pied)* chodit/jít ; *(en voiture)* jezdit/jet **18, 31** ; **comment allez-vous ?** jak se máte? ; **je vais bien** mám se dobře ; **ça va ?** jak to jde? ; **ça va dobře** ; **ça vous va ?** hodí se vám to? ; **ça vous va bien** sluší vám to
aller (s'en) odcházet/odejít
allergique alergický **103**

aller-retour zpáteční jízdenka f
allô haló **95**
allumer *(feu, cigarette)* zapalovat/
zapálit ; *(lumière)* rozsvítit *(perf)*
allumette zápalka f
alors tedy
amande mandle f
ambassade ambasáda f, velvyslanectví n
ambiance atmosféra f
ambulance sanitka f **100**
amende pokuta f
amener přivádět/přivést
amer hořký
Américain(e) Američan, Američanka
américain americký
ami(e) přítel, přítelkyně **18** ; **petit
ami** můj přítel/chlapec ; **petite amie**
moje přítelkyně/dívka
amour láska f
ampoule *(électrique)* žárovka f ; *(sur la
peau)* puchýř m
amusant zábavný
amuser (s') bavit se **20**
an rok ; **j'ai 22 ans** je mi dvacet dva
let **16**
ananas ananas m
ancien starý
anesthésie anestesie f
angine angína f
Anglais(e) Angličan, Angličanka
anglais anglický
Angleterre Anglie f
animal zvíře n
animé *(lieu)* navštěvovaný
année rok m ; **bonne année !** šťastný Nový rok!
anniversaire narozeniny fpl ; **bon
anniversaire !** všechno nejlepší k
narozeninám!
anniversaire de mariage výročí n
svatby
annuaire telefonní seznam m
annuler rušit/zrušit
antibiotiques antibiotika npl **102**
antique antický

Antiquité Antika f
août srpen m
apéritif aperitiv m ; **prendre l'apéritif** dávat si/dát si aperitiv
appareil : qui est à l'appareil ? kdo
je u telefonu? **95**
appareil photo fotoaparát m **83**
appartement byt m
appel *(téléphonique)* hovor m
appeler *(faire venir)* volat/zavolat
(+acc) ; *(au téléphone)* volat/zavolat
(+dat) **96** ; **s'appeler** *(se nommer)*
jmenovat se **15** ; *(s'intituler)* nazývat
se
appendicite zánět m slepého střeva
appétit : bon appétit ! dobrou chuť!
apporter přinášet/přinést **61**
apprendre učit (se)/naučit (se) **12** ;
j'apprends le tchèque učím se česky
après po *(+loc)*
après-demain pozítří n
après-midi odpoledne n
appuyer (sur) opírat/opřít
araignée pavouk m
arbre strom m
architecture architektura f
argent *(métal)* stříbro n ; *(monnaie)*
peníze mpl **76**
arrêt zastávka f **29**
arrêt de bus autobusová zastávka f
arrêter zastavovat/zastavit **31** ; **s'arrêter** zastavovat se/zastavit se
arrivée *(d'une personne)* příchod ; *(d'un
train)* příjezd m ; *(d'un avion)* přílet
arriver *(quelque part)* přijíždět/přijet
17, 26 ; *(à pied)* přicházet/přijít ; *(se
passer)* stávat se/stát se ; **arriver à
faire** dařit se/podařit se ; **je n'arrive
pas à fermer** nemůžu zavřít
art umění n
artisanal řemeslný
artiste umělec m
ascenseur výtah m
Asie Asie f
aspirine aspirín m
asseoir (s') sedat si/sednout si

assez *(suffisamment, plutôt)* dost **43** ;
  assez de dost *(+gén)* **76**
assiette talíř m
assurance pojištění n
assurance tous risques havarijní
  pojištění n **31**
asthme astma n **102**
Atlantique : l'océan Atlantique
  Atlantický oceán m
attendre čekat/počkat **111** ;
  (quelqu'un, quelque chose) čekat
  na/počkat na *(+acc)*
attention : faire attention dávat/dát
  pozor ; **attention !** pozor! ; **à l'at-**
  tention de k rukám *(+gén)*
attrape-touristes lákadlo n na turisty
auberge de jeunesse ubytovna f pro
  mládež **38**
aubergine lilek m
aucun(e) žádný m, žádná f, žádné n ;
  aucune idée nevím
aujourd'hui dnes
aussi také ; **moi aussi** já také ; **aussi**
  bien que tak jako
auteur autor m
authentique autentický
autobus autobus m
automne podzim m
autoroute dálnice f
autre jiný m, jiná f, jiné n ; **un(e)**
  autre jiný **47, 59** ; **d'autres** další ;
  autre chose něco jiného
avance : à l'avance předem **59** ; **en**
  avance příliš brzy
avant před *(+instr)* ; **avant de** před
  tím, než ; **roue avant** přední kolo
avant-hier předevčírem
avec s *(+instr)*
avenue třída f
aveugle *(adj)* slepý
avion letadlo n ; **par avion** *(courrier)*
  letecky
avis názor m ; **changer d'avis**
  rozmyslet si *(perf)*
avocat *(fruit)* avokádo n
avoir mít

avril duben m

ß

baby-sitting hlídání n dětí
bagages zavazadla npl **26**
bagages à main příruční zavazadlo n
  26
bagarre rvačka f
bague prsten m
baguette bageta f
baigner (se) koupat se/vykoupat se
baignoire vana f
bain : prendre un bain vykoupat se
  (perf)
balader (se) procházet se/projít se
balcon balkón m
balle míček m
ballon míč m
banane banán m
bandage obvaz m
banlieue předměstí n
banque banka f **86**
bar bar m
barbe vousy mpl
bas *(n)* spodní část f ; **en bas** dole
bas *(adj)* nízký
basilique bazilika f
basket *(sport)* basket(bal) m
baskets *(chaussures)* tenisky fpl
bateau loď f
bâtiment budova f
bâton de ski *(lyžařská)* hůlka f
batterie akumulátor m, baterie f **31**
bavarder povídat si *(imperf)*
beau krásný
beaucoup (de) mnoho *(+gén)* ;
  beaucoup plus mnohem víc
bébé miminko n
Belge Belgičan, Belgičanka
belge belgický
Belgique Belgie f
besoin : avoir besoin de potřebovat
  (+acc) **100, 104**
bête *(idiot)* hloupý
beurre máslo n

biberon kojenecká láhev f
bibliothèque knihovna f
bicyclette kolo n
bien dobře ; **j'aimerais bien...** rád m/ráda f bych... ; **bien sûr** samozřejmě
bientôt brzy ; **à bientôt !** brzy na shledanou!
bienvenu : souhaiter la bienvenue vítat/přivítat ; **bienvenu !** buďte vítán m/vítána f!
bière pivo n
bijouterie bižutérie f
bijoux šperk m
billet (de train) jízdenka f **24** ; (d'avion) letenka f ; (de banque) bankovka f
billetterie prodej m vstupenek
biscuit sušenka f
biscuit salé slaná sušenka f
bise pusa f
bizarre divný
blague žert m
blanc bílý
blessé zraněný
bleu (n) (sur la peau) modřina f
bleu (adj) (couleur) modrý
blond světlý
bloqué zablokovaný
blouson bunda f
bœuf (viande) hovězí (maso)
boire pít/napít se **42, 61**
bois (forêt) les m ; (matière) dřevo n
boisson nápoj m
boîte (caisse) krabice f ; (de conserve) konzerva f
boîte aux lettres (privée) schránka f (na dopisy) ; (publique) (poštovní) schránka f **89**
boîte de nuit diskotéka f, noční podnik m **61**
boîte de vitesses převodovka f **31**
bol miska f
bon dobrý ; **bon marché** levný, laciný
bonbon bonbón m
bondé přeplněný

bonjour dobrý den ; (le matin) dobré ráno ; (l'après-midi) dobré odpoledne
bonnet čepice f
bonsoir dobrý večer
bord : au bord de la mer na břehu moře
bottes (vysoké) boty fpl
bouche ústa npl, pusa f
boucherie řeznictví n
bouchon (de bouteille) zátka f ; (embouteillage) zácpa f
boucles d'oreilles náušnice f
boue bláto n
bougie (de cire, de voiture) svíčka f
boulangerie pekařství n, pekárna f
boule : une/deux boule(s) (de glace) jeden kopeček/dva kopečky
boules Quiès® špunty mpl do uší
bout : un bout de... kousek (+gén) ; **au bout de 2 heures** za dvě hodiny ; **au bout de la rue** na konci ulice
bouteille láhev f **45**
bouteille de gaz bomba f
boutique obchod m
bouton (sur la peau) pupínek m ; (de vêtement, d'un appareil) knoflík m
bracelet náramek m
branché (à la mode) moderní
brancher zapojovat/zapojit **98**
bras ruka f, paže f
bravo ! bravo!
briquet zapalovač m
brochure brožura f
brocolis brokolice f
bronchite zánět m průdušek
bronzé opálený
bronzer (brunir) opalovat/opálit ; (s'exposer) opalovat se/opálit se
brosse (à cheveux) kartáč m
brosse à dents (zubní) kartáček m
brouillard mlha f
bruit hluk m ; **faire du bruit** dělat rámus
brûler pálit/spálit ; **se brûler** spálit se (perf)

brûlure spálenina *f*
bruyant hlučný **37**
bureau de poste pošta *f* **89**
bureau de tabac tabák *m*, trafika *f*
bus autobus *m* **29**

C

ça to
cabine d'essayage zkušební kabina *f*
cabine téléphonique telefonní kabina *f*/budka *f* **40, 94**
cacahouètes arašídy *mpl*
Caddie® (nákupní) vozík *m*
cadeau dárek *m* **81**
cafard šváb *m*
café (boisson) káva *f* ; (lieu) kavárna *f*
café au lait bílá káva *f*
café crème káva *f* s mlékem
café Internet internetová kavárna *f* **91**
cahier sešit *m*
caisse (boîte) skříňka *f* ; (où payer) pokladna *f*
caleçon (sous-vêtement) spodky *mpl* ; (de bain) (pánské) plavky *mpl*
calme tichý, klidný
caméra kamera *f*
camion kamión *m*
cambriolage vykradení *n*
campagne venkov *m*
camping (activité) táboření *n*, camping *m* **40** ; (terrain) kemp *m* ; **faire du camping** kempovat
camping-car karavan *m*
camping-gaz® plynový vařič *m*
canard kachna *f*
car (bus) autobus *m*
carafe karafa *f*
caravane karavan *m*
cardiaque kardiak *m* **102**
carie : avoir une carie mít kaz
carotte mrkev *f*
carte (menu) jídelní lístek *m* ; (géographique) mapa *f* ; (à jouer) karta *f* ; (papiers) průkaz *m*

carte de crédit kreditní karta *f* **77**
carte de téléphone telefonní karta *f* **94**
carte de visite vizitka *f*, navštívenka *f*
carte d'identité občanský průkaz *m*
carte postale pohlednice *f*
cas : au cas où v případě, že ; **en cas de...** v případě (+gén)
casque přílba *f*
casquette čepice *f*
cassé zlomený
casse-croûte svačina *f*
casser rozbít (perf) **39, 100** ; **se casser la jambe** zlomit si nohu
casserole kastrol *m*
cassette kazeta *f*
cassette vidéo videokazeta *f*
catastrophe katastrofa *f*
cathédrale katedrála *f*, chrám *m*
catholique katolický
cause : à cause de kvůli (+dat)
caution kauce *f*, jistota *f*
CD CD *n*, cédéčko *n*
ce tento
ceinture pásek *m*
ceinture de sécurité bezpečnostní pás *m*
cela toto
célèbre slavný
célibataire svobodný
celle-ci tato
celle-là tamta
celui-ci tento
celui-là tamten
cendrier popelník *m*
centimètre centimetr *m*
centre střed *m* **37, 39**
centre commercial nákupní středisko *n*
centre-ville centrum *n*
céréales obilniny *fpl*
cerise třešeň *f*
certain nějaký ; (sûr) jistý
ces tyto
c'est to je
cette tato

ceux-ci tito
ceux-là tamti
chacun každý
chaîne *(de télévision)* program *m* ; *(hifi)* věž *f* ; *(de vélo)* řetěz *m*
chaise židle *f*
chaleur horko *n*
chaleureux srdečný
chambre ložnice *f* ; *(d'hôtel)* pokoj *m* **35, 36, 37**
chambre à air duše *f*
chambre d'hôtes pokoj *m* pro hosty
champagne šampaňské *n*
champignons houby *fpl*
chance štěstí *n* ; **bonne chance !** hodně štěstí!
changement změna *f*
changer měnit/vyměnit ; *(de l'argent)* měnit/směnit **86** ; **se changer** převlékat se/převléknout se
chapeau klobouk *m*
chapeau de soleil sluneční klobouk *m*
chapelle kaple *f*
chaque každý ; **chaque jour** každý den ; **chaque fois** pokaždé
charcuterie *(magasin, produits)* uzeniny *fpl*
chasse d'eau splachovač *m*
chat kočka *f*
château zámek *m*
château fort hrad *m*
chaud teplý ; **il fait chaud** je teplo ; **il fait trop chaud** je vedro ; **boissons chaudes** teplé nápoje
chauffage topení *n*
chauffe-eau ohřívač *m* vody
chauffeur de taxi taxikář *m*
chaussettes ponožky *fpl*
chaussures boty *fpl*
chaussures de marche vycházkové boty *fpl*
chaussures de ski lyžařské boty *fpl*
chef *(dirigeant)* vedoucí *m*
chemin cesta *f* **71**
chemise *(vêtement)* košile *f* ; *(de carton)* desky *fpl*

chemise de nuit noční košile *f*
chèque šek *m*
chèque de voyage cestovní šek *m*
cher *(coûteux)* drahý
chercher hledat *(imperf)* **13, 76** ; **aller chercher** *(quelqu'un, quelque chose)* jít pro *(+acc)*
cheval kůň *m*
cheveux vlasy *mpl*
cheville kotník *m*
chèvre koza *f*
chewing-gum žvýkačka *f*
chez k *(+dat)*, u *(+gén)* **95** ; **chez moi/soi** doma
chien pes *m*
chinois čínský
chips smažené brambůrky *fpl*
choc šok *m*
chocolat čokoláda *f*
chocolat au lait mléčná čokoláda *f*
chocolat chaud horká čokoláda *f*
chocolat noir hořká čokoláda *f*
choisir vybírat (si)/vybrat (si) **45**
choix výběr *m*
cholestérol cholesterol *m*
chômage nezaměstnanost *f* ; **au chômage** nezaměstnaný
choquant šokující
chose věc *f*
chou zelí *n*
chou-fleur květák *m*
chrétien *(n)* křesťan *m*
ciel nebe *n*
cigare doutník *m*
cigarette cigareta *f*
cimetière hřbitov *m*
cinéma *(lieu)* kino *n* ; *(genre)* film *m*
cintre ramínko *n*
circulation *(de voiture)* provoz *m* ; *(du sang)* oběh *m*
ciseaux nůžky *fpl*
citron citrón *m*
citron vert zelený citrón *m*
clair světlý ; **bleu clair** světle modrý
classe : première/deuxième classe první/druhá třída *f*

classique klasický
clé klíč m **37, 39**
clémentine klementika f
clignotant (n) blikač m, blinkr m
climat klima n
climatisation klimatizace f
club klub m
Coca® cola f
cochon prase n
code confidentiel tajný kód m, PIN
code d'entrée vstupní kód m
code postal poštovní směrovací číslo n, PSČ
cœur srdce n
coffre (de voiture) kufr m
cognac koňak m
coiffeur (pour femmes) kadeřník m ; (pour hommes) holič m
coin (angle, endroit) roh m **34, 78**
coincé zaražený
colère : en colère rozzlobený
colis balík m **89**
collants punčocháče mpl
colle lepidlo n
collier náhrdelník m
colline kopec m
colonie de vacances tábor m
combien kolik ; **combien ça coûte ?** kolik to stojí? ; **combien de temps… ?** jak dlouho...? ; **depuis combien de temps… ?** jak dlouho...? ; **on est le combien ?** kolikátého je dnes?
commander (nourriture) objednávat (si)/objednat (si) **45**
comme (pareillement) jako ; (parce que) jak, když
commencer začínat/začít
comment jak **9, 11**
commerce obchod m
commissariat komisařství n **106**
commission (de change) komismí poplatek m **86**
compagnie aérienne letecká společnost f
compartiment kupé n

complet (plein) obsazený, vyprodaný
complètement úplně
compliment kompliment m
comprendre rozumět/porozumět (+dat) **11, 21**
comprimé prášek m
compris (service, assurance) v ceně **48** ; **tout compris** všechno v ceně
comptant : payer comptant platit hotově
compte bancaire bankovní účet m/konto n
compter počítat/spočítat ; **compter sur** počítat s (+instr)
concert koncert m **60**
concombre okurka f
conduire řídit (imperf) ; (quelqu'un) vézt/dovézt
conférence konference f
confiance důvěra f ; **avoir confiance (en)** důvěřovat (+dat)
confirmer (vol) potvrzovat/potvrdit **26**
confiture zavařenina f
confortable pohodlný
congélateur mraznička f
connaissances (savoir) znalosti fpl
connaître znát (imperf) **12**
connu známý
conseil rada f ; **demander conseil (à)** žádat/požádat (+acc) o radu
conseiller radit/poradit **18, 70**
consigne (pour bagages) úschovna f
consommer spotřebovat (perf)
consommation (boisson) konzumace f
constipé : je suis constipé mám zácpu
construire : construit en… postavený v...
consulat vyslanectví n, konzulát m **106**
contact kontakt m ; **rester en contact** zůstat v kontaktu **19**
contacter kontaktovat/zkontaktovat **106**
contagieux nakažlivý
contemporain současný

content spokojený

continuer à pokračovat *(imperf)*

contraceptif *(adj)* antikoncepční

contraire opačný ; **au contraire** naopak

contrat smlouva *f*

contre proti *(+dat)*

coordonnées adresa *f* **19**

copain kamarád ; **petit copain** můj kluk

copine kamarádka ; **petite copine** moje dívka

coquillage mušle *f*

corps tělo *n*

correct správný

correspondance *(changement)* přestup *m* **26**

côté strana *f* ; **à côté de** vedle *(+gén)*

côte *(maritime)* pobřeží *n* ; *(du corps)* žebro *n* ; **côte d'agneau** jehněčí žebírko *n*

côtelette kotleta *f*

coton *(hydrophyle)* vata *f* ; *(textile)* bavlna *f*

coton-tige® vatové tyčinky *fpl*

cou krk *m*

couche *(pour bébé)* plenka *f*

coucher : se coucher chodit/jít spát **110** ; **coucher avec** spát s *(+instr)*

couchette lehátko *n*

couleur barva *f*

coup : ça vaut le coup stojí to za to ; **aller boire un coup** chodit/jít na skleničku

coup de soleil : prendre un coup de soleil dostat úpal *m*

coupe-ongles nůžky *fpl* na nehty

couper *(au couteau)* řezat/uříznout ; *(avec des ciseaux)* stříhat/ustřihnout ; **se couper** říznout se ; **coupé en tranches** krájený/nakrájený

courage odvaha *f* ; **bon courage !** hodně štěstí!

courant : être au courant (de) být informován o *(+loc)*

courgette cuketa *f*

couronne *(monnaie)* koruna *f*

courrier pošta *f* **89**

cours *(leçon)* kurz *m* **69**

courses nákup *m* ; **faire des/les courses** nakupovat/nakoupit **34**

court krátký

couteau nůž *m*

coûter stát *(imperf)* ; **combien ça coûte ?** kolik to stojí?

couvert *(de table)* příbor *m*

couvert *(adj)* zakrytý

couverture přikrývka *f*

crabe krab *m*

cravate kravata *f*

crayon tužka *f*

crème à raser krém *m* na holení

crème chantilly šlehačka *f*

crème fraîche smetana *f*

crème hydratante hydratační krém *m*

crème solaire opalovací krém *m*

crevé *(pneu)* prasklý ; *(fatigué)* moc unavený

crever prasknout *(perf)*

crevette kreveta *f*

crise krize *f*

crise cardiaque infarkt *m*

crise d'appendicite zánět *m* slepého střeva

croire věřit/uvěřit *(+dat)* ; **je crois que…** myslím, že...

croisière okružní plavba *f*

croix kříž *m*

crotte bobek *m*

cru syrový

crustacés korýši *mpl*

cuillère lžíce *f* ; **cuillère à café** kávová lžička *f* ; **cuillère à soupe** polévková lžíce *f*

cuir kůže *f*

cuire *(au four)* péci/upéci ; *(à l'eau)* vařit/uvařit

cuisine kuchyně *f* ; **faire la cuisine** vařit/uvařit

cuisse stehno *n*

cuit *(au four)* pečený ; *(à l'eau)* vařený ; **bien cuit** dobře propečený ; **trop cuit** příliš propečený
cuivre měď *f*
culotte kalhotky *fpl*
curé farář *m*
cybercafé internetová kavárna *f*

D

dangereux nebezpečný
dans na, v *(voir grammaire)* ; **dans une heure** za hodinu ; **dans la soirée** večer
date datum *n*
date de naissance datum *n* narození
date d'expiration platnost *f* do
date limite termín *m*
de *(voir grammaire)* ; **le vélo de David** Davidovo kolo ; **de... à...** od... do... ; **du pain** chléb *m* ; **des œufs** vejce *npl*
débrouiller (se) poradit si *(perf)*
début začátek *m* ; **au début** začátkem *(+gén)* ; **en début de** na začátku *(+gén)*
débutant začátečník *m*
déca káva *f* bez kofeinu
décalage horaire časový posun *m*
décapsuleur otvírač *m* lahví
décembre prosinec *m*
décevant neuspokojivý
décider rozhodovat/rozhodnout
déclaration *(de perte, vol)* ohlášení *n* **26, 107**
déclarer *(à la douane)* deklarovat *(imperf)*
décoller *(avion)* odlétat/odletět
découvrir objevovat/objevit
déçu zklamaný
dedans uvnitř
défaut vada *f*
dégonflé splasklý
degré *(de température)* stupeň *m*
dehors venku
déjà už

déjeuner *(n)* oběd *m*
déjeuner *(v)* obědvat/naobědvat se
délicieux výborný
demain zítra ; **à demain** zítra na shledanou ; **demain soir** zítra večer
demander *(question)* ptát se/zeptat se ; *(service)* žádat/požádat
démanger svědit *(imperf)* **102**
demi *(adj)* poloviční ; **un demi-litre/-kilo** půl litru/kila ; **une demi-heure** půlhodina *f* ; **ça dure une heure et demie** trvá to hodinu a půl
demi *(n)* *(bière)* velké pivo *n*
demi-pension polopenze *f*
demi-tour : faire demi-tour *(à pied)* vracet se/vrátit se ; *(en voiture)* otáčet se/otočit se
dent zub *f*
dentifrice zubní pasta *f*
dentiste zubař *m*
déodorant deodorant *m*
dépannage : service de dépannage havarijní služba *f*
départ *(train)* odjezd *m* ; *(avion)* odlet *m*
dépêcher (se) pospíšit si *(perf)*
dépendre : ça dépend přijde na to ; **ça dépend de** to záleží na *(+loc)*
dépenser utrácet/utratit
dépliant *(prospectus)* prospekt *m* **24**
déposer *(quelqu'un)* dovézt *(perf)* **32**
déprimé zdeprimovaný
depuis od *(+gén)* ; **depuis que** od té doby, co ; **depuis quand ?** odkdy?
déranger rušit/vyrušit
dernier poslední ; **au dernier moment** na poslední chvíli ; **l'année dernière** minulý rok
derrière za *(+acc/instr)*
des *voir* **de**
dès od *(+gén)* ; **dès que** jakmile
désagréable nepříjemný
descendre *(de transports)* vystupovat/vystoupit **29**
désinfecter dezinfikovat
désolé : je suis désolé je mi velice líto

dessert desert *m*, moučník *m* **46**

dessin kresba *f*

dessous *(avec mouvement)* dolu ; *(sans mouvement)* dole ; **en dessous (de)** pod *(+acc/instr)*

dessus *(avec mouvement)* nahoru ; *(sans mouvement)* nahoře ; **au-dessus (de)** nad *(+acc/instr)*

destinataire adresát *m*

détendre (se) oddechnout si *(perf)*

détester nemít rád *m*/ráda *f*/nesnášet

devant před *(+acc/instr)*

développer : faire développer *(pellicule)* dát vyvolat **83**

devenir stát se *(perf)*

devise deviza *f*

devoir *(v)* muset ; *(de l'argent)* dlužit **77, 102** ; **vous devriez...** měl *m*/měla *f* byste...

diabète diabetik *m*

dialecte dialekt *m*

diapositive diapozitiv *m*

diarrhée : avoir la diarrhée mít průjem

dictionnaire slovník *m*

diesel diesel

différent jiný ; **différent de** odlišný od *(+gén)*

difficile těžký

dimanche neděle *f*

diminuer zmenšovat/zmenšit

dinde krůta *f*

dîner *(n)* večeře *f*

dîner *(v)* večeřet/navečeřet se

dire říkat/říct ; **comment ça se dit ?** jak se to řekne? ; **ça te dit ?** chceš?

direct přímý

directement přímo

direction směr *m* ; **en direction de** směrem na/do

direction assistée posilovač *m* řízení

discothèque diskotéka *f*

disparaître mizet/zmizet **106**

disputer (se) hádat se/pohádat se

disque disk *m*

disquette disketa *f*

distributeur (automatique de billets) bankomat *m* **86**

divorcé rozvedený

docteur doktor *m*, lékař *m* **100**

document dokument *m*

doigt prst *m*

dommage : c'est dommage to je škoda

donc tedy

donner dávat/dát

dormir spát/vyspat se

dos záda *npl*

douane celnice *f*

doublé *(film)* dabovaný

doucement *(délicatement)* jemně ; *(bas)* tiše ; *(lentement)* pomalu

douche sprcha *f* ; **prendre une douche** sprchovat se/vysprchovat se

drap prostěradlo *n*

drapeau vlajka *f*

drogue droga *f*

droit *(n)* právo *n* ; **avoir le droit de...** mít právo na *(+acc)*

droit *(adj)* přímý

droit : *(adv)* **tout droit** stále rovně

droite pravý ; **à droite (de)** vpravo/napravo od *(+gén)*

drôle *(amusant)* zábavný ; *(étrange)* divný

du *voir* de

dur *(solide)* tvrdý ; *(difficile)* těžký

durée trvání *n*

durer trvat *(imperf)*

eau voda *f*

eau gazeuse perlivá voda *f*

eau minérale minerální voda *f*

eau plate neperlivá voda *f*

échanger měnit/vyměnit (si)

écharde tříska *f*

écharpe šála *f*

échecs šachy *mpl*

école škola *f*

écouter poslouchat/poslechnout (si)

écrire psát/napsat **77**
écrivain spisovatel *m*
effort snaha *f* ; **faire un effort** snažit se *(imperf)*
égal : ça m'est égal je mi to jedno
église kostel *m*
électrique elektrický
elle ona *(voir grammaire)*
elles ony *(voir grammaire)*
e-mail e-mail *m*
embarquement nástup *m*
embarquer nastupovat/nastoupit **26**
embêtant otravný, mrzutý
embouteillage zácpa *f* **30**
embrasser líbat/políbit
embrayage spojka *f*
émission vysílání *n*
emmener *(en voiture)* odvážet/odvézt
emplacement *(de camping)* místo *m* **40**
emporter odnášet/odnést ; **à emporter** s sebou
emprunter půjčovat si/půjčit si
en do *(+gén)*, v(e) *(+loc)* ; **je vais en France** jedu do Francie ; **être en France** být ve Francii ; **en 1995** v roce 1995 ; **en tchèque** česky ; **en voiture** autem
enceinte těhotná **102**
enchanté ! těší mě!
encore ještě **46** ; **pas encore** ještě ne ; **encore plus** ještě víc
endormir (s') usínat/usnout
énervant : c'est énervant to je k vzteku
énerver rozčilovat/rozčilit
enfant dítě *n*
enfin konečně
enflé oteklý
enlever vzít *(perf)*
ennuyer (s') nudit se *(imperf)*
enregistrement *(des bagages)* podání *n* **26**
enregistrer *(bagages)* podávat/podat
enrhumé nachlazený
ensemble spolu, dohromady

ensuite potom
entendre slyšet/uslyšet ; **bien/mal s'entendre (avec quelqu'un)** dobře/špatně si rozumět s *(+instr)*
entier celý ; **en entier** úplně
entracte přestávka *f*
entre : entre midi et 2 mezi dvanáctou a druhou (hodinou) ; **entre 3 et 5 jours** tři až pět dní
entrée *(lieu)* vchod *m* ; *(de repas)* předkrm *m* ; *(billet)* vstupenka *f* **65**
entrer vstupovat/vstoupit
enveloppe obálka *f*
envie : avoir envie de mít chuť na *(+acc)*
environ asi ; **dans les environs** v okolí **70**
envoi zásilka *f*
envoyer posílat/poslat **89**
épaule rameno *n*
épeler hláskovat *(imperf)*
épice koření *n*
épicé kořeněný
épicerie obchod se smíšeným zbožím *m*
épileptique epileptický
épiler epilovat *(imperf)*
épinards špenát *m*
éponge houba *f*
épouse manželka *f*
épuisé vyčerpaný
équipe družstvo *n*
erreur omyl *m*
escalader vylézt *(perf)*
escalier schodiště *n*
Espagne Španělsko *n*
Espagnol(e) Španěl, Španělka
espagnol španělský
espérer doufat *(imperf)* ; **j'espère que...** doufám, že...
essayer zkoušet/zkusit ; *(vêtement)* vyzkoušet si/zkusit si **79** ; **essayer de faire quelque chose** zkusit něco udělat
essence benzín *m*
est východ *m* ; **à l'est (de)** na

východ od (+gén)
estomac žaludek m
et a
étage patro n
état stav m ; **l'État** stát m
États-Unis Spojené státy americké mpl
été léto n
éteindre (cigarette, lumière) zhasínat/zhasnout ; (appareil) vypínat/vypnout
étonner (s') divit se (imperf)
étranger (n) (homme) cizinec ; **à l'étranger** do ciziny/v cizině
étranger (adj) cizí
être být ; **je suis Tchèque** jsem Čech m/Češka f
études studium n ; **faire des études de** studovat (+acc) **16**
étudiant student **24**
euro euro n
Europe Evropa f
européen evropský
eux oni (voir grammaire)
évident evidentní
excédent (de bagages) nadváha f
excellent výborný
exceptionnel vyjímečný ; **rien d'exceptionnel** nic zvláštního
excursion výlet m
excuse omluva f
excuser (s') omlouvat se/omluvit se
excusez-moi promiňte
exemple příklad m ; **par exemple** například
expéditeur odesílatel m
expliquer vysvětlovat/vysvětlit
exposition výstava f, expozice f
exprès schválně
express expresní
expression výraz m
expresso expreso n
exprimer (s') vyjadřovat se/vyjádřit se
extraordinaire vyjímečný

face : en face (de) naproti (+dat)
fâché rozčilený
facile snadný ; **c'est facile à faire** dá se to snadno udělat
façon způsob m ; **de toute façon** v každém případě
facteur (homme) listonoš m
facture faktura f
faible slabý **101**
faim : avoir faim mít hlad m **42**
faire dělat/udělat ; **ça fait 2 ans que...** před dvěma lety... ; **ça ne fait rien** to nic
fait (n) skutečnost f ; **en fait** ve skutečnosti ; **au fait,...** vlastně...
fait : (adj) **fait main** ruční práce
falloir : il faut que... je třeba, aby... ; **il faut que je fasse...** musím udělat...
famille rodina f
farine mouka f
fast-food rychlé občerstvení n
fatigant únavný
fatigué unavený
faute chyba f
fauteuil roulant kolečkové křeslo n
faux špatný
fax fax m
félicitations ! blahopřeji!
femme (de sexe féminin) žena f ; (épouse) žena f, manželka f
fenêtre okno n
fer à repasser žehlička f
férié : jour férié svátek m
ferme (n) statek m
fermé zavřený
fermer zavírat/zavřít **89**
fermeture zavírací doba f
fermeture Éclair® zip m
fesses zadek m
festival festival m
fête oslava f ; **faire la fête** bavit se (imperf)
fête nationale státní svátek m
feu oheň m ; **tu as du feu ?** nemáš oheň? ; **au feu !** hoří!

feu (rouge) semafor m
feuille *(végétale, de papier)* list m
feux d'artifice ohňostroj m
février únor m
fiancé(e) snoubenec, snoubenka
fier (de) pyšný na *(+acc)*
fièvre horečka f ; **avoir de la fièvre** mít horečku **101**
fille *(jeune femme)* dívka f ; *(de parents)* dcera f
film film m
fils syn m
fin *(n)* konec ; **en fin de** koncem *(+gén)* ; **à la fin de** na konci *(+gén)*
finalement konečně
finir končit/skončit
flash blesk m
flèche šipka f
fleur květina f
fleuve řeka f
flou rozmazaný
foie játra npl
foire veletrh m
fois : **chaque fois** pokaždé ; **combien de fois ?** kolikrát? ; **une fois** jednou ; **deux fois** dvakrát
folklorique folklórní
foncé tmavý
fond dno n
football fotbal m, kopaná f
forêt les m
forfait *(prix fixe)* předplatné n **71**
forme forma f ; **en (pleine) forme** ve formě
formidable úžasný
formulaire formulář m **107**
fort *(personne)* silný ; *(son)* hlasitý ; *(goût)* výrazný
fou blázen m
foulard šátek m
fouler : se fouler la cheville vymknout si kotník
four trouba f
fourchette vidlička f
fourmi mravenec m
fracture zlomenina f

fragile křehký
frais *(temps)* chladno ; *(aliment)* čerstvý ; *(boisson)* vychlazený
fraise jahoda f
framboise malina f
Français(e) Francouz, Francouzka
français *(adj)* francouzský
français *(n)* *(langue)* francouzština f ; **je parle français** mluvím francouzsky
France Francie f
franchement upřímně
frein brzda f
frein à main ruční brzda f
freiner brzdit/zabrzdit
frère bratr m
frigidaire® lednička f
frit smažený
frites hranolky fpl
froid studený ; **il fait froid** je zima ; **j'ai froid** je mi zima ; **prendre froid** nachladit se *(perf)*, nastydnout *(perf)*
fromage sýr m
front čelo m
frontière hranice f
fruit ovoce n
fruits de mer plody mpl moře
fuite unikání n
fumer kouřit/zakouřit si **62**
fumeur kuřák m ; **fumeurs/non-fumeurs** *(salle, compartiment)* kuřáci/nekuřáci
fusible pojistka f

G

gâcher kazit/zkazit
gagner *(argent)* vydělávat/vydělat ; *(temps)* získávat/získat
galerie galerie f
gant rukavice f
gant de toilette žínka f
garage *(pour garer)* garáž f ; *(pour réparer)* autoopravna f **30**
garantie záruka f

garçon *(enfant)* chlapec *m* ; *(serveur)* číšník *m*

garder hlídat/pohlídat

gardien hlídač *m*

gare nádraží *n*

gare routière autobusové nádraží *n*

garer (se) parkovat/zaparkovat

gâteau dort *m* ; **petit gâteau** cukroví *n*

gâteau sec sušenka *f*

gauche levý ; **à gauche (de)** vlevo/nalevo od *(+gén)*

gaz plyn *m*

gaze *(bandage)* gáza *f*

gazeux : boisson gazeuse sodovka *f*

gel *(eau gelée)* zamrznutí *n* ; *(pour les cheveux)* gel *m*

gel douche sprchový gel *m*

gêner vadit *(imperf)*

généraliste *(médecin)* obvodní lékař *m*

génial geniální

genou koleno *n*

genre : quel genre de… ? jaký?

gens lidé *mpl*

gentil milý

glace *(eau gelée)* led *m* ; *(à manger)* zmrzlina *f* ; *(miroir)* zrcadlo *n*

glaçon led *m*

gorge krk *m*

gothique gotický

gourde polní láhev *f*

goût chuť *f*

goûter *(n)* svačina *f*

goûter *(v)* chutnat/ochutnat

gouttes *(pour les oreilles, les yeux)* kapky *fpl*

grâce à díky *(+dat)*

grammaire gramatika *f*

gramme gram *m*

grand velký ; *(haut)* vysoký

Grande-Bretagne Velká Británie *f*

grandir vyrůstat/vyrůst ; **j'ai grandi en France** vyrůstal *m*/vyrůstala *f* jsem ve Francii

gras *(adj)* tučný

gratuit zadarmo **64**

grave vážný ; **ce n'est pas grave** to nevadí

Grec(que) Řek, Řekyně

grec řecký

Grèce Řecko *m*

grillé grilovaný

grippe chřipka *f*

grippe intestinale střevní chřipka *f*

gris šedý

gros tlustý

gros mot hrubé slovo *n*

groupe skupina *f* ; *(de musique)* skupina *f*

guêpe vosa *f*

guérir uzdravit se *(perf)*

guerre válka *f*

gueule de bois kocovina *f*

guide *(livre, personne)* průvodce *m*

guide des spectacles přehled *m* pořadů

guitare kytara *f*

gynécologue gynekolog *m*, ženský lékař *m*

H

habiller (s') oblékat se/obléci se

habiter bydlet *(imperf)*

habitude zvyk *m* ; **d'habitude** obvykle ; **avoir l'habitude (de)** mít ve zvyku *(+v)*

hamburger hamburger *m*

hanche bok *m*

handball házená *f*

handicapé *(adj)* invalidní **106**

haricots fazole *f*

haricots verts fazolové lusky *mpl*

hasard : par hasard náhodou

haschich hašiš *m*

haut *(n)* výška *f* ; **en haut** *(avec mouvement)* nahoru ; *(sans mouvement)* nahoře

haut *(adj)* vysoký

héberger ubytovat *(perf)*

hémorroïdes hemoroidy *mpl*

herbe tráva *f*

hésiter váhat *(imperf)*
heure hodina f **114** ; **à quelle heure... ?** v kolik hodin...? ; **à 5 heures** v pět hodin ; **à l'heure** včas ; **à tout à l'heure** za chvíli na shledanou
heure locale místní čas *m*
heureusement naštěstí
heureux šťastný
hier včera ; **hier soir** včera večer
histoire *(passé)* minulost *f* ; *(récit)* dějiny *fpl*
hiver zima *f*
Hollandais(e) Holanďan, Holanďanka
hollandais holandsko
Hollande Holandsko *n*
homard humr *m*
homéopathie homeopatie *f*
homme muž *m*
homosexuel homosexuál *m*
honnête čestný
hôpital nemocnice *f*
horaires *(de trains)* jízdní řád *m* **24**
horrible hrozný
hors service mimo provoz
hôtel hotel *m*
huile *(alimentaire, pour voiture)* olej *m*
huître ústřice *f*
humide vlhký
humour nálada *f*
hypertension vysoký tlak *m*
hypotension nízký tlak *m*

I

ici sem, tady ; **d'ici** *(lieu)* odsud **15, 29** ; **d'ici un quart d'heure** za čtvrt hodiny
idée nápad *m*
idiot idiot *m*
il on *(voir grammaire)*
il y a : il y a 2 ans před dvěma lety **69**
île ostrov *m*
ils oni *(voir grammaire)*
immeuble dům *m*

imperméable *(n)* nepromokavý plášť *m*
important důležitý
importer : n'importe quoi cokoli ; **dire n'importe quoi** říkat nesmysly
impossible nemožný
impression : avoir l'impression de mít dojem z *(+gén)*
impressionnant působivý
imprimer tisknout/vytisknout
incendie požár *m*
indépendant nezávislý
indicatif *(téléphonique)* předčíslí *n* **97**
infection infekce *f*
infirmière *(zdravotní)* sestra *f*
informations *(renseignements)* informace *fpl* **64** ; *(nouvelles)* zprávy *fpl*
initiales iniciály *fpl*
inoubliable nezapomenutelný
inquiéter (s') dělat si starosti *(imperf)*
inscrire (s') zapisovat se/zapsat se
insecte hmyz *m*
insecticide prostředek *m* proti hmyzu
insolation úpal *m*
insomnie nespavost *f*
instant : un instant, s'il vous plaît okamžik, prosím
instrument *(de musique)* nástroj *m*
insulte urážka *f*
intelligent inteligentní
intention : avoir l'intention de mít v úmyslu *(+acc)* **18**
interdit zakázaný
intéressant zajímavý
intérieur : à l'intérieur uvnitř **62**
international mezinárodní
Internet internet *m* **91**
intoxication alimentaire otrava *f*
invité *(adj)* pozvaný
inviter zvát/pozvat
Italie Itálie *f*
Italien(enne) Ital, Italka
italien italský

jamais nikdy **69**
jambe noha *f*
jambon šunka *f*
janvier leden *m*
Japon Japonsko *n*
Japonais(e) Japonec, Japonka
japonais japonský
jardin zahrada *f*
jardin botanique botanická zahrada *f*
jaune žlutý
je já *(voir grammaire)*
jean džínsy *mpl*
jetable jednorázový
jeter hodit/vyhodit
jeu hra *f*
jeu vidéo videohra *f*
jeudi čtvrtek *m*
jeune *(n)* mladý člověk *m* **65**
jeune *(adj)* mladý
jogging *(sport)* běhání *n* ; *(tenue)*
sportovní oblečení *n*
joli hezký
jouer *(à un jeu)* hrát (si)/zahrát (si)
(+acc) **73** ; *(d'un instrument)*
hrát/zahrát na *(+acc)* ; **ça joue à...**
hraje se to v *(+loc)*
jouet hračka *f*
jour den *m* ; **de nos jours** v současné době
journal noviny *fpl*
journée den *m*
juillet červenec *m*
juin červen *m*
jumeaux dvojčata *npl*
jumelles *(pour voir)* dalekohled *m*
jupe sukně *f*
jus šťáva *f*
jus de fruit ovocná šťáva *f*
jusqu'à (až) do *(+gén)*
juste *(équitable)* spravedlivý ; **tout
juste** přesně ; **juste avant/un peu**
před/jen trochu

kayak kajak *m*
kilomètre kilometr *m*
kiosque à journaux novinový stánek *m*
kleenex® papírový kapesník *m*
K-way® pláštěnka *f*

la *(article) (voir grammaire)*
la *(pronom)* ji *(voir grammaire)*
là tady
là-bas tam
lac jezero *n*
lacets tkaničky *fpl*
là-haut (tam) nahoře
laine vlna *f*
laisser *(permettre, abandonner)* nechá-
vat/nechat **38** ; **laisser tranquille**
nechat na pokoji ; **laisser tomber**
nechat být
lait mléko *n*
lait après-soleil mléko *n* po
opalování
lait demi-écrémé polotučné mléko *n*
lait écrémé odtučněné mléko *n*
lait entier plnotučné mléko *n*
lait hydratant hydratační mléko *n*
laitue hlávkový salát *m*
lame de rasoir žiletka *f*
lampe lampa *f*
lampe de poche baterka *f*
langouste langusta *f*
langue jazyk *m*
lapin králík *m*
large široký
lavabo umyvadlo *n*
lave-vaisselle myčka *f*
laver mýt/umýt ; **se laver** mýt
se/umýt se ; **se laver les dents** čistit
si/vyčistit si zuby ; **se laver les
cheveux** mýt si/umýt si vlasy
laverie prádelna *f*
le *(article) (voir grammaire)*
le *(pronom)* ho *(voir grammaire)*
léger lehký

légume zelenina f
légumes secs luštěniny fpl
lentement pomalu
lentilles (légume) čočka f ; (de contact) čočky fpl
les (article) (voir grammaire)
les (pronom) je (voir grammaire)
lessive prášek na praní m ;
  faire la lessive prát/vyprat
lettre (de l'alphabet) písmeno n ;
  (courrier) dopis m
leur(s) (adj possessif) jejich ; **le/la leur** jejich (voir grammaire)
leur (pronom personnel) jim (voir grammaire)
lever (se) vstávat/vstát
levée (poste) vybírání m
lèvre ret m
librairie knihkupectví n
libre volný
lieu místo n ; **au lieu de** místo (+gén)
ligne de bus linka f autobusu
ligne de métro linka f metra
limonade limonáda f
linge sale špinavé prádlo n
liqueur likér m
liquide : payer en liquide platit v hotovosti
liquide vaisselle prostředek m na mytí nádobí
lire číst/přečíst
lit postel f
litre litr m
livre kniha f
location (de maison) nájem m ; (de voiture) půjčovna f
logement ubytování n
loin daleko ; **loin de** daleko od (+gén)
longtemps dlouho
lorsque když
louer (maison) (pour soi) pronajímat si/pronajmout si ; (à quelqu'un) pronajímat/pronajmout ; (voiture) půjčovat si/půjčit si **31, 69, 71, 72**

lourd těžký ; (temps) dusno
loyer nájemné n
lui jemu, jí (voir grammaire)
lumière světlo n
lundi pondělí n
lune měsíc m
lune de miel líbánky mpl
lunettes brýle fpl
lunettes de soleil sluneční brýle fpl
Luxembourg Lucembursko n
Luxembourgeois(e) Lucemburčan, Lucemburčanka
luxembourgeois lucemburský
lycée gymnázium n

M

ma moje f (voir grammaire)
machine à laver pračka f
Madame paní f
Mademoiselle slečna f
magasin obchod m
magazine časopis m
magnifique skvělý
mai květen m
maigre hubený
maillot de bain plavky fpl
main ruka f
maintenant teď
mairie radnice f
mais ale
maïs kukuřice f
maison dům m ; **à la maison** doma
maître nageur plavčík m
mal (n) : **j'ai mal** bolí mě **101** ; **j'ai mal au cœur** je mi nevolno ; **j'ai mal à la tête/à la gorge/au ventre** bolí mě hlava/v krku/břicho ; **avoir le mal de mer** mít mořskou nemoc ; **j'ai du mal à marcher** nemůžu chodit
mal (adv) špatně ; **pas mal** dost ; **ce n'est pas mal** není to špatné
malade nemocný
maladie nemoc f
malentendu nedorozumění n

malheureusement bohužel

malpoli drzý

manche rukáv *m*

mandat international mezinárodní poštovní poukázka *f*

manger jíst/sníst **42**

manière způsob *m*

manquer scházet *(imperf)* ; **il (me) manque deux…** schází (mi) dva… **26**

manteau kabát *m*

marchand prodavač *m* ; **marchand de journaux** prodavač *m* novin

marchandise zboží *n*

marche *(d'escalier)* schod *m* ; *(à pied)* pochod *m* **70** ; **faire de la marche** dělat pochody

marché trh *m* **78**

marcher *(à pied)* chodit/jít ; *(fonctionner)* fungovat *(imperf)* **83, 92**

mardi úterý *n*

mari manžel *m*

mariage svatba *f*

marié *(homme)* ženatý ; *(femme)* vdaná

marre : en avoir marre (de) mít dost *(+gén)*

marron *(n) (fruit)* kaštan *m*

marron *(adj) (couleur)* hnědý

mars březen *m*

match zápas *m*

matelas matrace *f*

matelas pneumatique nafukovací matrace *f*

matériel materiál *m*

matin ráno *n*

mauvais špatný ; **il fait mauvais** je ošklivo

maximum maximum *n*

mayonnaise majonéza *f*

me mě, mi *(voir grammaire)*

méchant zlý

médecin lékař *m*, doktor *m* **100**

médicament lék *m*

médiéval středověký

meilleur lepší ; **le meilleur** nejlepší ;

meilleur que lepší než

mélanger míchat/smíchat

melon meloun *m*

membre *(d'un club)* člen *m*

même dokonce **47** ; **même eux** i oni ; **même si** i když ; **moi-/lui-même** sám

ménage : faire le ménage uklízet/ uklidit

mentir lhát *(imperf)*

menton brada *f*

menu menu *n*

mer moře *n* ; **la mer Méditerranée/du Nord** Středozemní/Severní moře

merci děkuji ; **merci beaucoup** mockrát děkuji ; **non, merci** ne, děkuji

mercredi středa *f*

mère matka *f*

merveilleux báječný

mes moji *m*, moje *f* & *n (voir grammaire)*

message vzkaz *m* **95**

messe mše *f*

métier povolání *n*

mètre metr *m*

métro metro *n*

mettre dávat/dát **89**

micro-ondes mikrovlnná trouba *f*

midi poledne *n*

miel med *m*

mien : le mien/la mienne můj *m*, moje *f* & *n (voir grammaire)*

mieux lépe **102** ; **mieux que** lépe než

mignon roztomilý

milieu prostředí *m* ; **au milieu (de)** uprostřed *(+gén)* ; **en milieu de** v polovině *(+gén)*

minérale minerální

minimum minimum *n*

minuit půlnoc *f*

minute minuta *f* **115**

mobylette® moped *m*

moche ošklivý

mode móda f ; **à la mode** módní
moderne moderní
moi já *(voir grammaire)*
moins méně ; **au moins** alespoň ;
  moins que méně než ; **... moins le
  quart** tři čtvrtě na...
mois měsíc m
moitié polovina f
moment moment m, chvíle f ; **un
  moment** chvíli ; **en ce moment**
  v tuto chvíli ; **pour le moment**
  prozatím ; **à ce moment-là** v tu
  chvíli
mon můj m *(voir grammaire)*
monastère klášter m
monde svět m ; **tout le monde** všichni ; **du monde** hodně lidí **20, 67**
monnaie drobné *mpl* ; **faire de la
  monnaie** rozměňovat/rozměnit **94** ;
  rendre la monnaie vrátit drobné **76**
monoski skiboard m
Monsieur pán m
montagne hory *fpl*
montre hodinky *fpl*
montrer ukazovat/ukázat **64**
monument památka f
morceau : un morceau de kousek
  (+gén)
morsure kousnutí n
mort *(n)* smrt f
mort *(adj)* mrtvý
mosquée mešita f
mot slovo n ; *(note écrite)* vzkaz m
moteur motor m
moto motorka f
mouche moucha f
mouchoir kapesník m
mouillé mokrý
moules škeble *fpl*
mourir umírat/umřít
mousse à raser pěna f na holení
moustache knír m
moustique komár m
moutarde hořčice f
mouton *(viande)* skopové (maso) n
moyen *(n)* prostředek m

moyen *(adj)* průměrný ; **durée
  moyenne** průměrná doba f
Moyen-Âge středověk m
muet němý
mur zeď f
mûr zralý
muscle sval m
musée muzeum m ; **musée d'art**
  galerie f
musique hudba f
musulman muslimský

N

nager plavat *(imperf)* ; **savoir nager**
  umět plavat
naître rodit se/narodit se ; **je suis
  né(e) le...** narodil m/narodila f jsem
  se *(+date au gén)* ; **je suis né(e)
  en...** narodil m/narodila f jsem se v
  (+loc)
natation plavání n
nationalité národnost f
nature příroda f
nausée : j'ai la nausée je mi špatně
  od žaludku
navette kyvadlová doprava f
nécessaire nutný
négatif *(n)* negativ m
neige sníh m
neiger sněžit *(imperf)*
nerveux nervózní
Nescafé® nescafé n
nettoyer čistit/vyčistit
neuf nový
nez nos m
ni... ni... ani... ani...
Noël Vánoce *fpl* ; **joyeux Noël !**
  veselé Vánoce!
noir černý ; **noir et blanc** černobílý
  83
noisette oříšek m
noix ořech m
nom jméno n
nombre počet m
nom de famille příjmení n

nom de jeune fille rodné příjmení *n*

non ne ; **moi non plus** já také ne

nord sever *m* ; **au nord (de)** na severu od *(+gén)*

normal normální

nos naši *m*, naše *f & n (voir grammaire)*

note *(facture)* účet *m*

noter *(écrire)* znamenat/poznamenat

notre náš *m*, naše *f & n (voir grammaire)*

nôtre : le/la nôtre náš *m*, naše *f & n (voir grammaire)*

nourriture jídlo *n*

nous my *(voir grammaire)*

nouveau nový ; **à nouveau** znovu

nouvel an Nový rok *m*

nouvelle : *(n)* novinka *f* ; **bonne/mauvaise nouvelle** dobrá/špatná zpráva *f* ; **les nouvelles** zprávy *fpl*

novembre listopad *m*

noyer (se) topit se/utopit se

nu nahý

nuage mrak *m*

nuit noc *f* ; **bonne nuit** dobrou noc

nul velmi špatný ; **nulle part** nikde

numéro číslo *n*

numéro de téléphone číslo *n* telefonu

numéro d'immatriculation státní poznávací značka *f*, SPZ

O

objectif *(photographique)* objektiv *m*

occasion příležitost *f* ; **marchandises d'occasion** zboží z druhé ruky

occupé obsazený

occuper obsazovat/obsadit ; **s'occuper de** zabývat se *(+instr)*

océan oceán *m*

octobre říjen *m*

odeur *(bonne)* vůně *f* ; *(mauvaise)* zápach *m*

œil oko *n*, oči *fpl*

œuf vajíčko *n*

œuf à la coque vajíčko *n* na měkko

œuf dur vajíčko *n* na tvrdo

œufs brouillés míchaná vajíčka *npl*

œuf sur le plat volské oko *n*

œuvre d'art umělecké dílo *n*

office de tourisme informační centrum *n*

offrir dávat/dát

oignon cibule *f*

oiseau pták *m*

ok ok

olives olivy *fpl*

ombre stín *m* ; **à l'ombre** ve stínu

omelette omeleta *f*

on *(nous)* my ; **on dit que...** prý...

oncle strýc *m*

ongle nehet *m*

opéra opera *f*

opérer : se faire opérer být operován

opticien optik *m*

or zlato *n* ; **en or** zlatý

orage bouřka *f*

orange *(fruit)* pomeranč *m*

orange *(adj) (couleur)* oranžový

orchestre orchestr *m*

ordinateur počítač *m*

ordinateur portable přenosný počítač *m*

ordures odpadky *mpl*

oreille ucho *n*, uši *fpl*

oreiller polštář *m*

organiser organizovat/zorganizovat

original *(adj)* originální

origine původ *m* ; **être d'origine française** být francouzského původu

os kost *f*

oser odvažovat se/odvážit se

ou nebo

où kam?, kde? *(voir grammaire)* ; **où est... ?** kde je...? ; **où sont... ?** kde jsou...? ; **où vas-tu ?** kam jdeš? ; **d'où viens-tu ?** odkud jsi?

oublier zapomínat/zapomenout **26**

ouest západ *m* ; **à l'ouest (de)** na západ od *(+gén)*

oui ano

ouvert otevřený
ouvre-boîtes otvírač m konzerv
ouvre-bouteilles otvírač lahví m
ouvrir otevírat/otevřít

P

page strana f
pain chléb m
palais palác m
pâle bledý
pamplemousse grapefruit m
panne porucha f ; **tomber en panne** mít poruchu **31** ; **je suis en panne d'essence** došel mi benzín **31**
panneau (de signalisation) tabule f
pansement náplast f
pantalon kalhoty mpl
papeterie papírnictví n
papier papír m ; **papiers (d'identité)** papíry mpl **106**
papier à cigarette cigaretový papír m
papier alu alobal m
papier-cadeau dárkový papír m
papier-toilette toaletní papír m
Pâques Velikonoce fpl ; **joyeuses Pâques !** veselé Velikonoce!
paquet balíček m ; (de cigarettes) krabička f
par : par jour/heure jednou za den/hodinu
paraître : il paraît que... zdá se, že...
parapluie deštník m
parasol slunečník m
parc park m
parc d'attractions zábavní park m
parce que protože
pardon (je m'excuse) pardon, promiňte ; (s'il vous plaît) promiňte
pare-brise přední sklo n
pare-chocs nárazník m
pareil stejný
parents rodiče mpl
parfait perfektní

parfum (cosmétique) parfém m ; (arôme) vůně f
parking parkoviště n
parler mluvit (imperf) **9, 11, 12, 94, 106**
parmi mezi (+acc/instr)
partager sdílet (imperf) **46**
partie část f ; **faire partie de** být součástí (+gén)
partir odjíždět/odjet ; (à pied) odcházet/odejít ; **à partir de** od (+gén)
partout všude
pas : ne... pas ne-... ; **je ne parle pas...** nemluvím... ; **pas du tout** vůbec ne
passage : être de passage projíždět **17**
passager(ère) cestující
passé (n) minulost f
passeport (cestovní) pas m
passer (du temps) trávit/strávit ; **je suis passé vers 6 heures** stavil m/stavila f jsem se kolem šesté ; **passer prendre** (quelqu'un) stavit se pro (+acc) ; **passer un coup de téléphone** volat/zavolat (+dat)
passionnant úžasný
pastèque meloun m
pâté paštika f
pâte těsto n
pâtes těstoviny fpl
patient (n) pacient ; (adj) trpělivý
pâtisserie (gâteau) cukroví n ; (magasin) cukrárna f
patron vedoucí m
pauvre chudý
payant placený
payer platit/zaplatit **77**
pays země f
paysage krajina f
Pays-Bas Nizozemsko n
PCV : appeler en PCV volat/zavolat na účet volaného **94**
péage dálniční poplatek m
peau kůže f, pleť f

pêche *(fruit)* broskev f
pêcher lovit *(imperf)* ryby
peigne hřeben m
peine : à peine sotva ; **ça vaut la peine** stojí to za to
peinture malířství n
peler *(peau)* loupat se/oloupat se
pellicule *(photo)* film m **83**
pendant během *(+gén)* ; **pendant une heure** za hodinu ; **pendant que** zatímco
pension complète plná penze
penser myslet *(imperf)* **36** ; **penser à** myslet na *(+acc)*
perdre ztrácet/ztratit **106** ; **se perdre** zabloudit **13** ; **être perdu** být ztracený **13** ; **perdre du temps** ztrácet čas
père otec m
périmé prošlý
permettre dovolovat/dovolit
permis de conduire řidičský průkaz m
personne *(n)* osoba f **35, 36**
personne *(pronom)* nikdo
personnellement osobně
petit malý ; **petit à petit** pomalu
petit déjeuner snídaně f ; **prendre un petit déjeuner** snídat/nasnídat se
petits pois hrášek m
peu málo ; **peu de** málo *(+gén)* ; **un peu (de)** trochu *(+gén)* **78** ; **à peu près** přibližně
peuple lid m
peur strach m ; **avoir peur (de)** bát se *(+gén)*
peut-être možná
phare *(de véhicule)* reflektor m
pharmacie lékárna f s pohotovostní službou ; **pharmacie de garde** lékárna f
photo fotka f ; **prendre en photo/des photos** fotit/vyfotit **82**
photocopie fotokopie f
phrase věta f
pièce *(monnaie)* mince f ; *(lieu)* místnost f

pièce de rechange náhradní díl m
pièce de théâtre divadelní hra f
pied noha f ; **à pied** pěšky
pierre kámen m
piéton chodec m ; **rue piétonne** pěší zóna f
pile baterie f ; **3 heures pile** přesně tři hodiny
pilule tableta f, prášek m ; **prendre la pilule** brát/vzít si antikoncepci **102**
pilule du lendemain den po
piment feferonka f
pince à épiler pinzeta f
pipe dýmka f
pipi : faire pipi čurat/vyčurat se
pique-nique piknik m
pique-niquer dělat/udělat si piknik
piquer píchat/píchnout ; **je me suis fait piquer (par)...** píchlo mě...
piqûre *(injection)* injekce f ; *(d'insecte)* žihadlo n
pire horší ; **c'est pire (que)** je to horší (než)
piscine bazén m
piste cyclable stezka f pro cyklisty **72**
pizza pizza f
pizzeria pizzérie f
place *(siège)* místo n ; *(lieu public)* náměstí n ; *(ticket)* vstupenka f **24, 58** ; **il n'y a plus de place** je obsazeno ; **sur place** na místě
place de parking místo n k zaparkování
plage pláž f
plaie rána f
plaindre (se) stěžovat si/postěžovat si
plaire líbit se *(imperf)* ; *(nourriture)* chutnat *(imperf)* ; **s'il te/vous plaît** prosím tě/vás ; **ça me plaît** to se mi líbí
plaisanter žertovat *(imperf)*
plaisir radost n ; **faire plaisir à** dělat/udělat radost *(+dat)*

plan *(carte)* plán m **13, 28, 64**
plante rostlina f
plaque électrique elektrická plotýnka f
plaqué : plaqué or/argent pozlacený/postříbřený
plastique plastikový, igelitový
plat *(n) (récipient)* mísa f ; *(préparation)* jídlo n
plat *(adj)* plochý
plat de résistance hlavní jídlo n
plat du jour nabídka f dne
plâtre : avoir un plâtre mít sádru
plein : *(n)* **faire le plein** *(d'essence)* brát/nabrat plnou nádrž **30**
plein *(adj)* plný ; **plein de** plný *(+gén)*
pleurer plakat *(imperf)*
pleuvoir pršet *(imperf)* ; **il pleut** prší
plombage plomba f
plombier instalatér m
pluie déšť m
plupart : la plupart (de) většina *(+gén)*
plus víc ; **il n'y a plus de…** už není... ; **plus que** víc než
plusieurs několik
plutôt spíš
pneu pneumatika f
poche kapsa f
poêle pánev f
poignet zápěstí n
poil chlup m
point bod m ; **à point** akorát
point de repère orientační bod m
pointure velikost f
poire hruška f
poireau pórek m
pois hrách m
poisson ryba f
poissonnerie rybárna f
poitrine hruď f
poivre pepř m
poivron paprika f
poli slušný
police policie f
policier policista m

pommade pomáda f
pomme jablko n
pomme de terre brambora f
pompe à vélo pumpička f
pompiers hasiči m
pont most m
porc *(viande)* vepřové *(maso)* n
port přístav m
portable *(n) (téléphone)* mobil m **94, 98**
porte dveře fpl ; *(d'aéroport)* brána f
portefeuille náprsní taška f
porte-monnaie peněženka f
porter nosit/nést ; *(vêtement)* nosit/mít na sobě
portrait portrét m
Portugais(e) Portugalec, Portugalka
portugais portugalský
Portugal Portugalsko n
possible možný ; **le plus tôt possible** co nejdříve
poste pošta f **89**
pot *(de confiture)* sklenice f
potable pitný ; **non potable** užitkový
pot d'échappement výfuk m
poubelle popelnice f **39, 40** ; **mettre à la poubelle** vyhazovat/vyhodit
poudre prášek m
poule slepice f
poulet kuře n
poumon plíce f
pour pro *(+acc)* ; **pour que** aby ; **pour cent** procento n
pourboire spropitné n
pourquoi ? proč?
pousser strkat/strčit do *(+gén)* ; *(voiture)* tlačit/zatlačit
poussette kočárek m
pouvoir *(avoir la possibilité)* moci ; *(être capable)* moci
pratique praktický
précédent předchozí
préféré oblíbený
préférer dávat přednost *(+dat)*
premier první
prendre *(train)* jezdit/jet *(+instr)* ; *(avion)* létat/letět *(+instr)* ; *(médica-*

ment) brát/vzít si ; **ça prend 2 heures** trvá to dvě hodiny

prénom (křestní) jméno *n*

préparer připravovat/připravit

près blízko ; **(tout) près de** blízko *(+gén)*

présenter představovat/představit ; **je te présente...** představuji ti...

préservatif kondom *m*

préservé udržovaný

presque téměř

pressé : être pressé pospíchat *(imperf)*

pressing čistírna *f*

pression *(bière)* točené pivo *n* ; *(de pneu)* tlak *m*

prêt připravený ; **être prêt** být hotový ; **être prêt à** být připravený k *(+dat)*

prêter půjčovat/půjčit **40**

prêtre kněz *m*

prévenir upozorňovat/upozornit

prévisions météo předpověď *f* počasí **22**

prévoir počítat *(imperf)* s *(+instr)* **56**

prier : je t'en prie prosím tě ; **je vous en prie** prosím/vás

principal hlavní

printemps jaro *n*

prise *(électrique)* zásuvka *f* **94**

privé soukromý

prix cena *f*

probablement pravděpodobně

problème problém *m* **92**

procession procesí *n*

prochain příští **28** ; **à une prochaine !** příště na shledanou!

proche blízký ; **le plus proche** nejbližší **106**

produit výrobek *m*

professeur profesor *m*

profession zaměstnání *m*

profiter de využívat/využít *(+gén)*

profond hluboký ; **peu profond** mělký

programme *(de télévision, des spectacles)* program *m*

progrès : faire des progrès dělat/ udělat pokroky

promener (se) procházet se/projít se ; **aller se promener** jít se projít

promettre slibovat/slíbit

promotion sleva *f*

prononcer vyslovovat/vyslovit

proposer nabízet/nabídnout

propre vlastní ; *(particulier)* vlastní

propriétaire vlastník *m*

protéger chránit/ochránit ; **se protéger** chránit se

protestant protestant *m*

prudent rozumný

prune švestka *f*

public *(n)* veřejnost *f*, publikum *m*

public *(adj)* veřejný

publicité reklama *f*

puisque poněvadž

pull svetr *m*

pyjama pyžamo *m*

Q

quai *(de gare, de métro)* nástupiště *n*

qualité kvalita *f* ; **de bonne qualité** kvalitní

quand když ; **quand même** přece

quart čtvrt *f* ; **un quart d'heure** čtvrt hodiny

quartier čtvrť *f*

que co ; *(seulement)* jen ; **que faites-vous ?** co děláte? ; **qu'est-ce que... ?** co...? ; **plus petit que** menší než ; **je pense que...** myslím, že...

quel jaký, který

quelque chose něco

quelquefois někdy

quelque part někam, někde *(voir grammaire)*

quelques několik *(+gén)*

quelques-uns někteří

quelqu'un někdo

question otázka *f* ; **poser une question** ptát se/zeptat se na *(+acc)*

queue *(file)* fronta *f* **67** ; **faire la queue** stát frontu

qui kdo

quitter opouštět/opustit ; **ne quittez pas** nepokládejte

quoi co ; **il n'y a pas de quoi** není zač

quoique ačkoli

rabais : faire un rabais snižovat/snížit cenu

raccourci zkratka *f*

raconter vypravovat/vyprávět

radiateur radiátor *m*

radio *(transistor)* rádio *n* ; *(rayons X)* rentgen *m*

rage de dents velká bolest *f* zubů

raisin hroznové víno *n*

raisins secs rozinky *fpl*

randonnée túra *f* **70** ; **faire de la/une randonnée** chodit/jít na túru

ranger uklízet/uklidit

rapatrier odvážet/odvézt domů

rapide rychlý

rappeler *(au téléphone)* volat/zavolat znovu **96** ; **se rappeler** vzpomínat si/vzpomenout si na *(+acc)* ; **ça me rappelle...** to mi připomíná...

raquette raketa *f*

rare vzácný

rarement málokdy

raser (se) holit se/oholit se

rasoir holicí strojek *m*

rasoir électrique elektrický holicí strojek *m*

rater *(train, avion)* zmeškávat/ zmeškat **26**

ravi nadšený ; **ravi de faire votre connaissance** rád *m*/ráda *f* vás poznávám

rayon *(d'un magasin)* oddělení *n* **78, 79**

rayons X rentgenové paprsky *mpl*

réalité : en réalité ve skutečnosti

récent nedávný

réception *(d'un hôtel)* recepce *f* ; *(sur portable)* příjem *m* **98** ; **à la réception** na recepci **38**

réceptionniste recepční *m,f*

recette recept *m*

recevoir dostávat/dostat ; *(un appel)* mít hovor

rechange : de rechange náhradní **39**

recharger *(portable)* dobíjet/dobít **94, 98**

recommandé doporučený ; **en recommandé** doporučeně

recommander doporučovat/doporučit **36, 42**

reconnaissant vděčný

reconnaître rozeznávat/rozeznat

reçu stvrzenka *f* **77, 102**

réduction sleva *f* **24, 65**

réfléchir přemýšlet *(imperf)* **80**

réfrigérateur lednička *m*

refuge úkryt *m*

refuge de montagne horská chata *f*

refuser odmítat/odmítnout

regarder dívat se/podívat se **79**

régime dieta *f* ; **être au régime** držet dietu

région kraj *m* ; **dans la région** v kraji

règles menstruace *f* ; **avoir ses règles** mít menstruaci

regretter litovat *(imperf)*

rein ledvina *f*

reine královna *f*

rejoindre jít za *(+instr)* **18, 57**

religieuse *(n)* jeptiška *f*

religion náboženství *n*

remarquer všímat si/všimnout si

rembourser vracet/vrátit peníze ; **se faire rembourser** dát si proplatit výlohy **102**

remercier děkovat/poděkovat *(+dat)*

remparts hradby *fpl*

remplir plnit/naplnit ; *(formulaire)* vyplňovat/vyplnit **107**

rencontrer potkávat/potkat ; **se rencontrer** potkávat se/potkat se

rendez-vous schůzka *f* ; **prendre un**

rendez-vous *(chez le médecin)* objednat se **100** ; **se donner rendez-vous** dát si schůzku ; **avoir rendez-vous (avec)** mít schůzku s *(+instr)* **101**

rendre vracet/vrátit

renseignement informace *f* **64** ; **les renseignements** informace *fpl*

rentrer *(à la maison)* vracet se/vrátit se domů

renverser převracet/převrátit ; **je me suis fait renverser par une voiture** porazilo mě auto

réparer opravovat/opravit **31** ; **faire réparer** dát opravit

repas jídlo *n*

repasser *(vêtement)* žehlit/vyžehlit

répéter opakovat/zopakovat **10, 94**

répondeur záznamník *m*

répondre odpovídat/odpovědět

réponse odpověď *f*

reposer (se) odpočívat/odpočinout si

réservé reservé

réserver rezervovat/zarezervovat **24, 35, 44**

ressembler à podobat se *(+dat)* **12** ; **se ressembler** podobat se

restaurant restaurace *f*

reste zbytek *m* ; **le reste** (to) ostatní

rester zbývat/zbýt **34** ; **est-ce qu'il reste des places ?** jsou ještě vstupenky?

retard zpoždění ; **être en retard** mít zpoždění **110**

retardé zpožděný

retirer *(de l'argent)* vyzvedávat/vyzvednout peníze

retour návrat *m* ; **être de retour** být zpátky **96, 115**

retrait des bagages výdej *m* zavazadel

retraite důchod *m* ; **être à la retraite** být v důchodu **16**

retraité důchodce *m*

retrouver (se) *(rendez-vous)* scházet se/sejít se **57, 62**

réunion schůze *f*

rêve sen *m*

réveil budík *m*

réveiller budit/vzbudit ; **se réveiller** budit se/vzbudit se

revenir vracet se/vrátit se

rêver snít *(imperf)*

revoir (se) vidět se/uvidět se znovu ; **au revoir** na shledanou

revue časopis *m*

rez-de-chaussée přízemí *n*

rhum rum *m*

rhumatismes revmatismus *m*

rhume rýma *f* **103**

rhume des foins senná rýma *f*

riche bohatý

rien nic

rire smát se/zasmát se

risque riziko *n*

risquer : il risque de pleuvoir mohlo by pršet

rivière řeka *f*

riz rýže *f*

robe šaty *mpl*

robinet kohoutek *m*

robinet d'arrêt uzavírací kohout *m*

rocher skála *f*

roi král *m*

rollers inline (inlajny) *fpl*

romantique romantický

rond-point kruhový objezd *m*

ronfler chrápat *(imperf)*

rose *(n) (fleur)* růže *f*

rose *(adj) (couleur)* růžový

roue kolo *n*

roue de secours rezervní kolo *n*

rouge červený

rouge à lèvres rtěnka *f*

route cesta *f*

rouvrir otevírat/otevřít znovu

Royaume-Uni Velká Británie *f*

rue ulice *f*

rugby rugby *(pl)*

ruines trosky *fpl* ; **en ruines** v rozvalinách

sa jeho *(possesseur masc)*, její *(possesseur fém)* *(voir grammaire)*
sable písek *m*
sac taška *f*
sac à dos batoh *m*
sac à main kabelka *f*
sac de couchage spací pytel *m*
sachet *(de thé)* sáček *m*
sac plastique igelitový sáček *m* **76**
sac poubelle pytel *m* na odpadky
sage rozumný, moudrý
saignant krvavý
saigner krvácet *(imperf)*
saison roční období *n*
salade salát *m*
sale špinavý
salé slaný
salir špinit/ušpinit ; **se salir** ušpinit se
salle sál *m* ; **salle de cinéma** kinosál *m* ; **salle de concert** koncertní sál *m*
salle de bains koupelna *f*
salon salón *m*
salut ! *(bonjour, au revoir)* ahoj!
samedi sobota *f*
sandales sandály *mpl*
sandwich sendvič *m*
sang krev *f*
sans bez *(+gén)*
santé zdraví *n* ; **être en bonne santé** být zdráv ; **santé !** na zdraví!
sardine *(poisson)* sardinka ; *(de tente)* kolík *m*
sauce omáčka *f*
saucisse párek *m*
saucisson salám *m*
sauf kromě *(+gén)*
saumon losos *m*
sauvage divoký
sauvegarder ukládat/uložit
savoir *(v)* vědět *(imperf)*
savon mýdlo *n*
scooter skútr *m*
Scotch® izolepa *f*
sculpture socha *f*

sec suchý
sèche-cheveux vysoušeč *m* vlasů
sécher schnout/vyschnout ; **faire sécher** *(linge)* sušit/usušit
sécheresse sucho *n*
seconde sekunda *f*, vteřina *f*
secours pomoc *f* ; **au secours !** pomoc! ; **appeler au secours** volat/zavolat o pomoc
secret tajemství *n*
secrétaire *(femme)* sekretářka *f*
sécurité bezpečnost *f* ; **en sécurité** v bezpečí
sein prsa *npl*
séjour pobyt *m*
sel sůl *f*
semaine týden *m* ; **en semaine** v týdnu ; **toute la semaine** celý týden
sens *(direction)* směr *m* ; *(signification)* smysl *m*
sensible citlivý
sentier stezka *f* **70, 71**
sentir *(percevoir)* cítit *(imperf)* ; *(dégager une odeur)* cítit/ucítit ; **sentir bon/mauvais** vonět/páchnout ; **se sentir** cítit se ; **se sentir bien/mal** cítit se dobře/špatně **101**
séparément zvlášť'
séparer oddělovat/oddělit ; **se séparer** rozcházet se/rozejít se
septembre září *n*
sérieux vážný
serré těsný
serrure zámek *m*
serveur(euse) číšník, číšnice
service *(pourboire)* obsluha *f* ; *(faveur)* služba *f* ; **rendre un service** prokazovat/prokázat službu
serviette *(de toilette)* ručník *m* ; *(de table)* ubrousek *m*
serviette de bain osuška *f*
serviette en papier papírový ubrousek *m*
serviette hygiénique vložka *f*
servir : servir à sloužit *(imperf)* k

(+dat) ; **se servir de** posloužit si (imperf)

ses jeho (possesseur masc), její (possesseur fém) (voir grammaire)

seul(e) sám m, sama f ; **un seul** (jen) jeden ; **voyager seul** cestovat sám

seulement jen

sexe pohlaví n

shampooing šampón m

shopping nákupy mpl ; **aller faire du shopping** chodit po nákupech

short šortky fpl

si (de condition) jestli ; (tellement) tak

sida AIDS m

siècle století n ; **au XIXᵉ siècle** v devatenáctém století

sien : le sien/la sienne jeho/její (voir grammaire)

sieste siesta f ; **faire la sieste** trochu si odpočinout (perf)

signer podepisovat/podepsat

signifier znamenat (imperf)

silence ticho n

simple jednoduchý

sinon jinak

sirop (médicament) sirup m

site Internet internetové stránky fpl

situation situace f

ski lyže f ; **faire du ski** lyžovat (imperf)

slip slipy mpl

slip de bain plavky fpl

société (entreprise) společnost f, firma f

sœur sestra f

soie hedvábí n

soif : avoir soif mít žízeň

soir večer m ; **ce soir** dnes večer ; **le soir** každý večer

soirée (soir) večer m ; (fête) večírek m ; **dans la soirée** večer

sol podlaha f

soldes výprodej m ; **en soldes** ve výprodeji

soleil slunce n ; **au soleil** na slunci

sommeil : j'ai sommeil chce se mi spát

sommet vrchol m

somnifère prášek m na spaní

son jeho (possesseur masc), její (possesseur fém) (voir grammaire)

sortie východ m ; (de voiture) výstup m ; (d'autoroute) výjezd m

sortie de secours nouzový východ m

sortir vycházet/vyjít **55** ; (le soir) chodit/jít do/na (+destination) ; **sortir avec quelqu'un** chodit s (+instr) ; **sortir les poubelles** vynášet/vynést odpadky

souci starost f

souffrir trpět/mít bolesti

souhait přání n ; **à tes/vos souhaits !** na zdraví!

soûl opilý

soupe polévka f

sourd hluchý

sourire (v) usmívat se/usmát se

souris myš f

sous pod (+acc/instr)

sous-titré s titulky

sous-vêtements spodní prádlo n

soutien-gorge podprsenka f

souvenir (n) vzpomínka f ; (objet) suvenýr m ; **en souvenir de** na památku (+gén)

souvenir : (v) se souvenir (de) vzpomínat si/vzpomenout si na (+acc)

souvent často ; **pas souvent** málokdy

sparadrap leukoplast f

spécial (adj) zvláštní

spécialité specialita f

spectacle představení n **59**

sport sport m

sportif (adj) sportovně založený

stade stadión m

stage stáž f

standardiste telefonistka f

station stanice f

station balnéaire lázeňské středisko n, lázně fpl

station de métro stanice f metra

station de ski lyžařské středisko *n*
station-service benzínová pumpa *f*,
čerpací stanice *f* **30**
statue socha *f*
steak biftek *m*
stop autostop *m* **32** ; **faire du stop**
stopovat *(imperf)*
studio *(appartement)* garsonka *f*
style styl *m*
stylo pero *n*
succès úspěch *m*
sucette lízátko *n*
sucre cukr *m*
sucré sladký, slazený
sucreries cukrovinky *fpl*
sud jih *m* ; **au sud (de)** na jih od
(+gén)
suffire stačit *(imperf)* ; **ça suffit** to
stačí ; **il suffit de...** stačí...
suivant následující
suivre sledovat *(imperf)* **106** ; **faire
suivre** *(courrier)* dát si převést poštu
90
super *(n) (essence)* super *m*
super *(adj)* výborně
superbe nádherný
supermarché supermarket *m*
supplément příplatek *m*
supplémentaire dodatečný, ještě
jeden
supporter snášet/snést ; **je ne supporte pas...** nesnáším...
suppositoire čípek *m*
sur na *(+acc/loc) (voir grammaire)*
sûr jistý
surf surf *m*
surfer surfovat *(imperf)*
surgelé zmražený ; **les surgelés**
zmražené potraviny *fpl*
surprise překvapení *n*
surveiller hlídat/ohlídat **106**
sympa sympatický
synagogue synagoga *f*
syncope bezvědomí *n*

T

ta tvoje *f (voir grammaire)*
tabac *(à fumer)* tabák *m* ; *(magasin)*
tabák *m*, trafika *f*
table stůl *m* **44**
tableau *(d'art)* obraz *m*
tache skvrna *f*
taie d'oreiller povlak na polštář *m*
taille *(grandeur)* velikost *f* **80** ; *(partie
du corps)* pas *m*
talon podpatek *m* ; **chaussures à
talons** boty *fpl* s vysokým podpatkem
tampon *(hygiénique)* tampón *m*
tant : tant mieux tím lépe ; **tant pis**
tak at'
tante teta *f*
taper *(à l'ordinateur)* psát/napsat (na
počítači)
tapis koberec *m*
tard pozdě ; **à plus tard** zatím na
shledanou ; **trop tard** příliš pozdě
110
tarif tarif *m* ; **plein tarif** plný tarif *m*
66
tarif réduit poloviční tarif *m* **66**
tarte koláč *m*
tasse šálek *m*
taux de change kurz *m*
taxe poplatek *m* ; **hors taxes** bez
daně
taxe d'aéroport letištní poplatky *mpl*
taxi taxi *n* **31**
tchèque *(adj)* český ; *(n) (langue)*
čeština *f* ; **je parle tchèque** mluvím
česky
Tchèque Čech *m*, Češka *f*
te tě, ti *(voir grammaire)*
tee-shirt tričko *n*
téléphone telefon *m* **94**
téléphone portable mobilní telefon
m **94, 98**
téléphoner (à) telefonovat/zatele-
fonovat *(+dat)*
télévision televize *f*

température teplota f ; **prendre sa température** měřit si/změřit si teplotu
tempête bouřka f
temple (antique) chrám m ; (protestant) sbor m
temporaire dočasný
temps (météo) počasí n **22** ; (durée) čas m ; **de temps en temps** čas od času ; **tout le temps** celou dobu ; **avoir le temps de** mít čas na (+acc) **67, 110**
tenir držet/podržet
tennis (sport) tenis m ; (chaussures) tenisky fpl
tension tlak m
tente stan m
terminal terminál m
terrain : terrain de camping tábořiště n, kemp m ; **terrain de sports/de tennis/de golf** sportovní/tenisové/golfové hřiště n
terrasse terasa f ; **en terrasse** na terase
terre země f ; **par terre** na zemi
terrible hrozný ; **pas terrible** nic moc
tes tvoji m, tvoje f & n (voir grammaire)
tête hlava f
thé čaj m
théâtre divadlo n
thermomètre teploměr m
thermos® termoska f
thon tuňák m
ticket lístek m **58** ; (de bus, métro) jízdenka f
ticket de caisse pokladní stvrzenka f
tiède vlažný
tien : le tien/la tienne tvůjm m, tvoje f & n (voir grammaire)
timbre známka f **89**
timide nesmělý
tire-bouchon vývrtka f
tirer tahat/táhnout
tisane bylinkový čaj m
tissu látka f

toi ty (voir grammaire)
toilettes toalety fpl ; **toilettes pour hommes/femmes** pánské/dámské toalety
tomate rajče n ; **tomates** rajčata npl
tomber padat/upadnout ; **tomber malade** onemocnět ; **laisser tomber** nechat být
ton tvůj m (voir grammaire)
tongs vietnamky fpl
torchon utěrka f
tordre : se tordre la cheville vymknout si kotník **102**
tôt brzy
toucher dotýkat se/dotknout se
toujours vždycky
tour : c'est ton tour řada je na tobě
touriste turista m
touristique turistický
tourner otáčet se/otočit se
tous všichni ; **tous les deux** oba ; **tous les jours** každý den
tousser kašlat/zakašlat
tout celý ; **tout le temps** celou dobu ; **tout le monde** všichni ; **toute la journée** celý den ; **tout de suite** hned ; **tout droit** stále rovně
toutes všechny
toux kašel m ; **avoir de la toux** mít kašel
tradition tradice f
traditionnel tradiční
traduire překládat/přeložit
train vlak m **28**
traiteur lahůdky f
tramway tramvaj f
tranche plátek m **78**
tranquille klidný ; **laissez-moi tranquille !** nechte mě na pokoji!
transpirer potit se/zpotit se
travail práce f
travailler pracovat (imperf) **16** ; **travailler dans** pracovat v (+loc) **16**
travaux oprava f, rekonstrukce f
travellers cheque cestovní šek m
travers : à travers skrz (+acc)

traverser (rue) přecházet/přejít
très velmi
triste smutný
tromper (se) mýlit se/zmýlit se **13, 96**
trop příliš ; **trop de** příliš (+gén)
trou díra f
trousse de toilette toaletní potřeby fpl
trouver nacházet/najít
tu ty (voir grammaire)
tuer zabíjet, zabít
TVA DPH f
type (sorte) typ m
typique typický

U

un(e) (article) (voir grammaire)
un(e) (nombre) jeden m, jedna f,
jedno n
Union européenne Evropská unie f
université univerzita f
urgence : en cas d'urgence v nutném případě ; **appeler les urgences**
volat/zavolat na pohotovost
urgent nutný **106**
usine továrna f
utile užitečný
utiliser používat/použít

V

vacances dovolená f ; (scolaire) prázdniny fpl ; **en vacances** na prázd-
ninách/na dovolené **18** ; **passer les
vacances à...** trávit/strávit prázd-
niny/dovolenou v/na (+loc)...
vacciner : être vacciné contre být
očkován proti (+dat)
vache kráva f
vaisselle : faire la vaisselle mýt/umýt
nádobí
valable (pour) platný (na +acc) **65**
validité platnost f ; **en cours de validité** platný
valise kufr m ; **faire ses valises**
balit/zabalit (si)

vallée údolí n
valoir mít cenu ; **ça vaut...** (somme)
stojí to... ; **il vaut mieux...** bude
lépe...
vanille vanilka f
veau (viande) telecí (maso) n
végétarien vegetarián m
vélo kolo n
vendeur(euse) prodavač, prodavačka
vendre prodávat/prodat ; **à vendre**
na prodej
vendredi pátek m
venir přicházet/přijít ; (en voiture)
přijíždět/přijít ; **je viens de Paris**
jsem z Paříže ; **je viens d'arriver**
právě jsem přijel m/přijela f
vent vítr m
ventilateur ventilátor m
ventre břicho n
vérifier ověřovat/ověřit
verre sklenice f ; **verre d'eau/de vin**
sklenička f vody/vína ; **prendre un
verre** pít/vypít (si) skleničku **56**
verrou závora f
vers (en direction de) k (+dat) ; (environ) asi
version : en version originale
v původní verzi
vert zelený
veste sako n
vestiaire šatna f
vêtement oblečení n, oděv m
vétérinaire veterinář m
veuf (veuve) vdovec, vdova f
vexé uražený
viande maso n
viande hachée mleté maso n
vide prázdný
vidéo video n
vie život m
vieux starý
villa vila f
village vesnice f
ville město n ; **vieille ville** staré
město n
vin víno n ; **vin blanc/rouge/rosé**

bílé/červené/růžové víno n
vinaigre ocet m
vinaigrette dresing m
viol znásilnění n
violet fialový
virement (bancaire) převod m, poukaz m **86**
visa vízum n
visite návštěva f ; **rendre visite à** navštěvovat/navštívit (+acc)
visite guidée prohlídka f s průvodcem **66**
visiter navštěvovat/navštívit **18, 64**
vite rychle
vitesse rychlost f ; **à toute vitesse** co nejrychleji
vitraux vitráže fpl
vitre sklo m, okno n
vitrine : en vitrine ve výkladní skříni **79**
vivant živý
vivre žít (imperf)
vœux přání n ; **meilleurs vœux** všechno nejlepší
voici tady
voilà tam
voir vidět/uvidět
voisin soused m
voiture auto n ; (d'un train) vagón m ; **en voiture** autem
voix hlas m
vol (délit) krádež f ; (d'avion) let m
volaille drůbež f
voler (dérober) okrádat/okrást **106** ; (dans l'air) létat/letět
voleur zloděj m
volley(-ball) volejbal m
vomir zvracet (imperf) ; **j'ai envie de vomir** chce se mi zvracet
vos vaši m, vaše f & n (voir grammaire)
votre váš m, vaše f & n
vôtre : le/la nôtre váš m, vaše f & n (voir grammaire)
vouloir chtít ; **vouloir dire** znamenat ; **je voudrais…** chtěl m/chtěla f bych…

vous vy (voir grammaire)
voyage cesta f ; **bon voyage !** šťastnou cestu!
voyage d'affaires služební cesta f
voyage de noces svatební cesta f
voyage organisé zájezd m
voyager cestovat (imperf) **79**
vrai pravdivý ; **c'est vrai** to je pravda
vraiment opravdu
VTT horské kolo n
vue výhled m

W

Walkman® walkman m
W-C WC n
week-end víkend m
whisky whisky f

Y

y tam
yaourt jogurt m
yeux oči fpl

Z

zéro nula f
zoo zoo n, zoologická zahrada f
zoom zoom m

DICTIONNAIRE

TCHÈQUE – FRANÇAIS

A

a et
aby pour que
ačkoli quoique
adaptér adaptateur
adresa adresse, coordonnées ;
  e-mailová adresa adresse électronique
adresát destinataire
Afrika Afrique
ahoj! salut !
AIDS sida
akorát à point
akumulátor batterie
ale mais
alergický allergique
alespoň au moins
alkohol alcool
alobal papier alu
ambasáda ambassade
americký américain
Američan, Američanka Américain(e)
anestesie anesthésie
angína angine
anglický anglais
Angličan, Angličanka Anglais(e)
Anglie Angleterre
ani... ani... ni... ni...
ano oui
antibiotika antibiotiques
antický antique
Antika Antiquité
antikoncepční contraceptif *(adj)*
aperitiv apéritif ; **dávat si/dát si aperitiv** prendre l'apéritif
arašídy cacahouètes

architektura architecture
asi vers, environ
Asie Asie
aspirín aspirine
astma asthme
Atlantický oceán l'océan Atlantique
atmosféra ambiance
autentický authentique
auto voiture ; **autem** en voiture
autobus autobus, car
autobusová zastávka arrêt de bus
autobusové nádraží gare routière
autoopravna garage *(de réparation)*
autor auteur
autostop stop
avokádo avocat *(fruit)*
až : tři až pět dní entre 3 et 5 jours

B

bageta baguette
báječný merveilleux
balíček paquet
balík colis
balit/zabalit (si) faire ses valises
balkón balcon
banán banane
banka banque
bankomat distributeur automatique *(de billets)*
bankovka billet *(de banque)*
bankovní účet compte bancaire
barva couleur
basket(bal) basket *(sport)*
bát se avoir peur (de)
baterie pile
baterka lampe de poche

batoh sac à dos
bavit se s'amuser, faire la fête
bavlna coton *(textile)*
bazén piscine
bazilika basilique
běhání jogging *(sport)*
během pendant
belgický belge
Belgičan, Belgičanka Belge
Belgie Belgique
benzín essence
benzínová pumpa station-service
bez sans
bezpečí : v bezpečí en sécurité
bezpečnost sécurité
bezpečnostní pás ceinture de sécurité
biftek steak
bílá káva café au lait
bílý blanc
bižutérie bijouterie
blahopřeji! félicitations !
bláto boue
blázen fou
bledý pâle
blesk flash
blikač, blinkr clignotant
blízko près
blízký proche
bobek crotte
bod point
bohatý riche
bohužel malheureusement
bok hanche
bolest douleur ; **mít bolesti** souffrir
bolet : bolí mě... j'ai mal... ; **bolí mě hlava/v krku/břicho** j'ai mal à la tête/à la gorge/au ventre
bomba bouteille de gaz
bonbón bonbon
botanická zahrada jardin botanique
boty chaussures ; **vysoké boty** bottes
bouřka orage, tempête
brada menton
brambora pomme de terre
brána porte *(d'aéroport)*

brát/nabrat plnou nádrž faire le plein (d'essence)
brát/vzít (si) prendre, enlever ; **brát** accepter *(carte de crédit, pièces)* ; **brát antikoncepci** prendre la pilule
bratr frère
brokolice brocolis
broskev pêche *(fruit)*
brožura brochure
brýle lunettes
brzda frein
brzdit/zabrzdit freiner
brzy tôt, bientôt ; **příliš brzy** en avance ; **brzy na shledanou!** à bientôt !
březen mars
břicho ventre
budík réveil
budit (se)/vzbudit (se) (se) réveiller
budova bâtiment
bunda blouson
bydlet habiter
byt appartement
být être *(voir grammaire)* ; **nechat být** laisser tomber

C

cédéčko CD
celnice douane
celý entier, tout ; **celou dobu** tout le temps ; **celý den** toute la journée
cena prix ; **v ceně** compris *(service, assurance)* ; **všechno v ceně** tout compris
centimetr centimètre
centrum centre-ville
cesta route, chemin, voyage ; **šťastnou cestu!** bon voyage !
cesta tam aller
cestovat voyager
cestovní kancelář agence de voyages
cestovní pas passeport
cestovní šek travellers cheque
cestující passager(ère)
cibule oignon
cigareta cigarette

cigaretový papír papier à cigarette
cirkus cirque
cítit sentir ; **cítit se dobře/špatně** se sentir bien/mal
citlivý sensible
citrón citron
cizí étranger *(adj)*
cizina : v cizině/do ciziny à l'étranger
cizinec étranger *(n)*
co que, quoi ; **co?** qu'est-ce que… ? ; **co děláte?** que faites-vous ?
cokoli n'importe quoi
cola Coca®
couvat marche arrière
cuketa courgette
cukr sucre
cukrárna pâtisserie *(magasin)*
cukroví pâtisserie *(gâteau)*
cukrovinky sucreries

Č

čaj thé ; **bylinkový čaj** tisane
čas temps *(durée)* ; **čas od času** de temps en temps ; **mít čas na** avoir le temps de
časopis magazine, revue
časový posun décalage horaire
část partie
často souvent
Čech, Češka Tchèque
čekat/počkat attendre ; **čekat/počkat na** attendre *(quelqu'un, quelque chose)*
čelo front
čepice bonnet, casquette
černobílý noir et blanc
černý noir
čerpací stanice station-service
čerstvý frais *(aliment)*
červen juin
červenec juillet
červený rouge
česky en tchèque
český tchèque
česnek ail
čestný honnête

čeština tchèque *(langue)*
čínský chinois
čípek suppositoire
číslo numéro ; **číslo telefonu** numéro de téléphone
číst/přečíst lire
čistírna pressing
čistit/vyčistit nettoyer ; **čistit si/vyčistit si zuby** se laver les dents
číšník, číšnice serveur(euse)
člen membre *(d'un club)*
člověk homme
čočka lentilles *(légume)*
čočky lentilles *(de contact)*
čokoláda chocolat ; **hořká čokoláda** chocolat noir
čtvrť quartier
čtvrt quart ; **čtvrt hodiny** un quart d'heure ; **tři čtvrtě na…** … moins le quart
čtvrtek jeudi
čurat/vyčurat se faire pipi

D

dabovaný doublé *(film)*
daleko loin ; **daleko od** loin de
dalekohled jumelles *(pour voir)*
dálnice autoroute
dálniční poplatek péage
další d'autres
daň : bez daně hors taxes
dárek cadeau
dárkový papír papier-cadeau
datum date ; **datum narození** date de naissance
dávat přednost préférer
dávat/dát mettre, offrir, donner
dávat/dát pozor faire attention
dcera fille *(de parents)*
dějiny histoire *(récit)*
deklarovat déclarer *(à la douane)*
děkovat/poděkovat remercier
děkuji merci ; **mockrát děkuji** merci beaucoup ; **ne, děkuji** non, merci
dělat si starosti (s')inquiéter

dělat/udělat faire
den jour, journée
den po pilule du lendemain
deodorant déodorant
desert dessert
desky chemise *(de carton)*
děsný terrible
déšť pluie
deštník parapluie
deviza devise
dezinfikovat désinfecter
diabetik diabète
dialekt dialecte
diapozitiv diapositive
dieta régime ; **držet dietu** être au
régime
díky grâce à
díra trou
disk disque
disketa disquette
diskotéka discothèque
dítě enfant
divadelní hra pièce de théâtre
divadlo théâtre
dívat se/podívat se regarder
divit se (s')étonner
dívka fille *(jeune femme)*
divný bizarre, drôle
divoký sauvage
dlouho longtemps ; **jak dlouho...?**
(depuis) combien de temps… ?
dlužit devoir *(de l'argent)*
dnes aujourd'hui
dno fond
do à ; **do Paříže** à Paris ; **jedu do
Paříže** je vais à Paris ; **(až) do** jusqu'à
dobíjet/dobít recharger *(portable)*
dobrý bon ; **dobrý den** bonjour ;
dobré ráno *(le matin)* bonjour ; **dobré
odpoledne** *(l'après-midi)* bonjour ;
dobrý večer bonsoir
dobře bien
dočasný temporaire
dodatečný supplémentaire
dohromady ensemble
dojem : mít dojem z avoir l'impression de
dokonce même

doktor docteur
dokument document
dolů/dole dessous, en bas
doma chez soi, à la maison
dopis lettre *(courrier)*
doporučený recommandé ;
doporučeně en recommandé
doporučovat/doporučit recommander
doprovázet/doprovodit accompagner
dort gâteau
dospělý adulte
dospívající adolescent
dost assez ; **mít toho dost** en avoir
marre
dostávat/dostat recevoir
dostupný abordable
dotýkat se/dotknout se toucher
doufat espérer ; **doufám, že...**
j'espère que…
doutník cigare
dovézt déposer *(quelqu'un)*
dovolená vacances ; **na dovolené** en
vacances ; **trávit/strávit dovolenou
v/na...** passer les vacances à…
dovolovat/dovolit permettre
DPH TVA
drahý cher
dresing vinaigrette
droga drogue
drůbež volaille
družstvo équipe
drzý impoli
držet/podržet tenir
dřevo bois *(matière)*
dříve plus tôt ; **co nejdříve** le plus tôt
possible
duben avril
důchod retraite ; **být v důchodu** être
à la retraite
důchodce retraité
důležitý important
dům immeuble, maison
dusno lourd *(temps)*
duše chambre à air
důvěra confiance
důvěřovat avoir confiance
dvakrát deux fois
dveře porte

dvojčata jumeaux(elles)
dýmka pipe
džínsy jean

E

elektrický électrique
elektroměr compteur électrique
epileptik épileptique
epilovat épiler
evidentní évident
Evropa Europe
Evropská unie Union européenne
evropský européen
expozice exposition
expresní express
expreso expresso

F

faktura facture
farář curé
fazole haricots
fazolové lusky haricots verts
feferonka piment
fialový violet
film film, cinéma (genre), pellicule (photo)
firma société (entreprise)
folklórní folklorique
forma forme ; ve formě en (pleine) forme
formulář formulaire
fotbal football
fotit/vyfotit prendre en photo, prendre une/des photo(s)
fotka photo
fotoaparát appareil photo
fotografovat/vyfotografovat prendre en photo, prendre une/des photo(s)
fotokopie photocopie
Francie France
Francouz, Francouzka Français(e)
francouzský français
francouzština français (langue)
fronta queue (file) ; stát frontu faire la queue

fungovat fonctionner

galerie galerie, musée d'art
garáž garage (pour garer)
garsonka studio (appartement)
gáza gaze (bandage)
gel gel (pour les cheveux)
geniální génial
golf golf
gotický gothique
gram gramme
gramatika grammaire
grapefruit pamplemousse
grilovaný grillé
gymnázium lycée
gynekolog gynécologue

H

hádat se/pohádat se se disputer
haló allô
hasiči pompiers
hašiš haschich
havarijní pojištění assurance tous risques
havarijní služba service de dépannage
házená handball
hedvábí soie
hemoroidy hémorroïdes
hezký joli
hlad : mít hlad avoir faim
hlas voix
hlasitý fort (son)
hláskovat épeler
hlava tête
hlavní principal
hledat chercher
hlídač gardien
hlídání dětí baby-sitting
hlídat/ohlídat surveiller, garder
hloupý bête, idiot
hluboký profond
hlučný bruyant
hluchý sourd

hluk bruit
hmyz insecte
hned tout de suite
hnědý marron *(adj)*
ho le *(pronom)*
hodina heure ; **v kolik hodin?** à quelle heure… ? ; **v pět hodin** à 5 heures
hodinky montre
hodit se : hodí se vám to? ça vous va ?
hodit/vyhodit jeter
Holanďan, Holanďanka Hollandais(e)
Holandsko Hollande
holandský hollandais
holicí strojek rasoir ; **elektrický holicí strojek** rasoir électrique
holič coiffeur *(pour hommes)*
holit se/oholit se se raser
homeopatie homéopathie
homosexuál homosexuel
horečka fièvre ; **mít horečku** avoir de la fièvre
horká čokoláda chocolat chaud
horko chaleur
horská chata refuge de montagne
horské kolo VTT
horší pire ; **je to horší (než)** c'est pire (que)
horšit se/zhoršit se s'aggraver
hory montagne
hořčice moutarde
hoří! au feu !
hořký amer
host invité(e) *(n)*
hotel hôtel
hotovost : platit v hotovosti payer en liquide
hotový : být hotový être prêt
houba éponge
houby champignons
hovězí (maso) bœuf *(viande)*
hovor appel *(téléphonique)*
hra jeu
hračka jouet
hrad château fort

hradby remparts
hrách pois
hranice frontière
hranolky frites
hrášek petits pois
hrát (si)/zahrát (si) jouer *(à un jeu)* ; **hrát/zahrát na** jouer *(d'un instrument)* ; **hraje se to v** ça joue à…
hrbol bosse
hroznové víno raisin
hrozný horrible
hruď poitrine
hruška poire
hřbitov cimetière
hřeben peigne
hřiště terrain ; **sportovní/tenisové/golfové hřiště** terrain de sports/de tennis/de golf
hubený maigre
hudba musique
humr homard
hydratační krém crème hydratante
hydratační mléko lait hydratant

CH

chladno frais *(temps)*
chlapec garçon *(enfant)*
chléb pain
chlup poil
chodec piéton
chodit/jít aller *(à pied)*, marcher *(à pied)* ; **chodit/jít do/na** *(+ destination)* sortir *(le soir)* ; **chodit/jít na skleničku** aller boire un coup ; **chodit s** sortir avec quelqu'un ; **jít pro** aller chercher *(quelqu'un, quelque chose)* ; **jít za** rejoindre
cholesterol cholestérol
chrám cathédrale, temple *(antique)*
chránit/ochránit (se) (se) protéger
chrápat ronfler
chřipka grippe
chtít vouloir ; **chtěl/chtěla bych…** je voudrais… ; **chceš?** ça te dit ?
chudý pauvre

chut' goût ; **dobrou chut'!** bon appétit ! ; **mít chut' na** avoir envie de

chutnat/ochutnat goûter *(v)* ; chutnat plaire *(nourriture)*

chvíle moment ; **chvíli** un moment ; **v tuto chvíli** en ce moment ; **v tu chvíli** à ce moment-là ; **za chvíli na shledanou** à tout à l'heure

chyba faute

I

i même

igelitový plastique

igelitový sáček sac plastique

infarkt crise cardiaque

infekce infection

informace information, accueil, renseignements

informační centrum office de tourisme

informovat : **být informován o** être au courant (de)

iniciály initiales

injekce piqûre *(injection)*

inline, inlajny rollers

instalatér plombier

inteligentní intelligent

internet Internet

internetová kavárna café Internet

internetové stránky site Internet

invalidní handicapé *(adj)*

Ital, Italka Italien(enne)

Itálie Italie

italský italien

izolepa Scotch®

J

já je, moi

jablko pomme

jahoda fraise

jak comment

jak(o) comme

jakmile dès que

jaký quel

Japonec, Japonka Japonais(e)

Japonsko Japon

japonský japonais

jaro printemps

játra foie

jazyk langue

jeden, jedna, jedno un(e) *(nombre)*

jedno : **je mi to jedno** ça m'est égal

jednoduchý simple

jednorázový jetable

jednou une fois

jehněčí (maso) agneau *(viande)*

jeho son/sa/ses, le sien/la sienne *(possesseur masculin)*

její son/sa/ses, le sien/la sienne *(possesseur féminin)*

jejich leur(s) *(adj possessif)*

jemně doucement

jemu lui *(homme)*

jen seulement, que ; **jen jeden** un seul

jeptiška religieuse

jestli si

ještě encore ; **ještě ne** pas encore ; **ještě víc** encore plus ; **jsou ještě vstupenky?** est-ce qu'il reste des places ?

jet dopředu marche avant

jezdit/jet aller *(en voiture)*, prendre *(train, voiture)* ; **jezdit/jet s** accompagner *(en voiture)*

jezero lac

ji la (pronom)

jí lui *(femme)*

jídelní lístek carte *(menu)*

jídlo nourriture, repas, plat ; **hlavní jídlo** plat de résistance

jih sud ; **na jih od** au sud (de)

jinak sinon

jinde ailleurs

jiný autre, un(e) autre, différent ; **něco jiného** autre chose

jíst/najíst se manger

jistý certain, sûr

jít *voir* chodit

jízdenka billet *(de train)*

jízdní řád horaires *(trains)*

jméno nom ; **(křestní) jméno** prénom

jmenovat se s'appeler
jogurt yaourt

K

k, ke chez, vers
kabát manteau
kabelka sac à main
kadeřník coiffeur *(pour femmes)*
kachna canard
kajak kayak
kalhotky culotte
kalhoty pantalon
kam?, kde? où ; **kde je/jsou...?** où est/sont... ? ; **kam jdeš?** où vas-tu ?
kamarád, kamarádka copain(ine)
kámen pierre
kamera caméra
kamión camion
kapesník mouchoir
kapky gouttes *(pour les oreilles, les yeux)*
kaple chapelle
kapsa poche
karafa carafe
karavan caravane, camping-car
kardiak cardiaque
karta carte *(à jouer)*
kartáč brosse *(à cheveux)*
kartáček (zubní) brosse à dents
kastrol casserole
kašel toux ; **mít kašel** avoir de la toux
kašlat/zakašlat tousser
kaštan marron *(fruit)*
katastrofa catastrophe
katedrála cathédrale
katolický catholique
kauce caution
káva bez kofeinu déca
káva café *(boisson)*
káva s mlékem café crème
kavárna café *(lieu)*
kaz : mít kaz avoir une carie
kazeta cassette
kazit/zkazit gâcher
každý chacun, chaque ; **každý den** chaque jour, tous les jours
kde *voir* **kam**

kdo qui
když quand, lorsque, comme ; **i když** même si
ke *voir* **k**
kemp terrain de camping
kempovat faire du camping
kilometr kilomètre
kino cinéma *(lieu)*
kinosál salle de cinéma
klasický classique
klášter monastère
klementika clémentine
klíč clé
klidný tranquille, calme
klima climat
klimatizace climatisation
klobouk chapeau
klub club
kněz prêtre
kniha livre
knihkupectví librairie
knihovna bibliothèque
knír moustache
knoflík bouton *(de vêtement, d'un appareil)*
koberec tapis
kocovina gueule de bois
kočárek poussette
kočka chat
kohoutek robinet
kojenecká láhev biberon
koláč tarte
kolečkové křeslo fauteuil roulant
koleno genou
kolík sardine *(de tente)*
kolik combien ; **kolik to stojí?** combien ça coûte ? ; **kolik je ti let?** quel âge as-tu ?
kolikátý : kolikátého je dnes? on est le combien ?
kolikrát? combien de fois ?
kolo roue, vélo
komár moustique
komisařství commissariat
komisní poplatek commission
kompliment compliment
koňak cognac

koncert concert
končit/skončit finir
kondom préservatif
konec fin, bout ; **koncem** en fin de ;
  na konci à la fin de ; **na konci ulice**
  au bout de la rue
konečně enfin, finalement
konference conférence
kontakt contact ; **zůstat v kontaktu**
  rester en contact
kontaktovat/zkontaktovat contacter
konto compte bancaire
konzerva boîte de conserve
konzulát consulat
konzumace consommation *(boisson)*
kopaná football
kopec colline
kopeček : jeden kopeček/dva
  kopečky une/deux boule(s) *(de glace)*
koruna couronne *(monnaie)*
korýši crustacés
kořeněný épicé
koření épice
kost os
kostel église
košile chemise *(vêtement)* ; **noční**
  košile chemise de nuit
kotleta côtelette
kotník cheville
koupat se/vykoupat se se baigner
koupelna salle de bains
koupit *voir* **kupovat**
kouřit/zakouřit si fumer
kousek morceau
kousnutí morsure
koza chèvre
krab crabe
krabice boîte
krabička paquet *(de cigarettes)*
krádež vol *(criminel)*
kraj région ; **v kraji** dans la région
krájený/nakrájený coupé en tranches
krajina paysage
král roi
králík lapin
královna reine

krásný beau
krátký court
kráva vache
kravata cravate
kreditní karta carte de crédit
krém na holení crème à raser
kresba dessin
krev sang
kreveta crevette
krize crise
krk cou, gorge
kromě sauf
kruhový objezd rond-point
krůta dinde
krvácet saigner
krvavý saignant
křehký fragile
křesťan chrétien
kříž croix
který quel
kufr valise, coffre *(de voiture)*
kuchyně cuisine *(pièce)*
kukuřice maïs
kůň cheval
kupé compartiment
kupovat/koupit acheter
kurz cours *(leçon)*, taux de change
kuřák fumeur ; **kuřáci/nekuřáci**
  fumeurs/non-fumeurs *(salle, comparti-*
  ment)
kuře poulet
kůže peau, cuir
kvalita qualité
kvalitní de bonne qualité
květák chou-fleur
květen mai
květina fleur
kvůli à cause de
kýta cuisse
kytara guitare
kyvadlová doprava navette

L

laciný bon marché
láhev bouteille

lahůdky traiteur
lákadlo na turisty attrape-touristes
lampa lampe
langusta langouste
láska amour
látka tissu
lázeňské středisko, lázně station balnéaire
led glace, glaçon
leden janvier
lednička frigidaire®
ledvina rein
lehátko couchette
lehký léger
lék médicament
lékárna pharmacie ; **lékárna s pohotovostní službou** pharmacie de garde
lékař médecin ; **obvodní lékař** médecin généraliste
lépe, lip mieux ; **lépe než...** mieux que... ; **bude lépe...** il vaut mieux…
lepidlo colle
lepší meilleur ; **lepší než** meilleur que…
les bois, forêt
let vol *(d'avion)*
letadlo avion ; **letecky** par avion
létat/letět voler *(dans l'air)*, prendre *(l'avion)*
letecká společnost compagnie aérienne
letenka billet *(d'avion)*
letiště aéroport
letištní poplatky taxe d'aéroport
léto été
leukoplast sparadrap
levný bon marché
levý gauche
lhát mentir
líbánky lune de miel
líbat/políbit embrasser
líbit se plaire ; **to se mi líbí** ça me plaît
lid peuple
lidé gens ; **hodně lidí** du monde
líh alcool à 90°
likér liqueur
lilek aubergine

limonáda limonade
linka autobusu ligne de bus
linka metra ligne de métro
líp *voir* **líp**e
list feuille
lístek ticket
listonoš facteur
listopad novembre
líto : je mi velice líto je suis désolé
litovat regretter
litr litre
lízátko sucette
loď bateau
losos saumon
loupat se/oloupat se peler *(peau)*
lovit ryby pêcher
Lucemburčan, Lucemburčanka Luxembourgeois(e)
Lucembursko Luxembourg
lucemburský luxembourgeois
luštěniny légumes secs
lyžařské středisko station de ski
lyže ski
lyžovat faire du ski
lžíce cuillère ; **polévková lžíce** cuillère à soupe
lžička (kávová) cuillère à café

M

majonéza mayonnaise
malina framboise
malířství peinture
málo peu
málokdy pas souvent, rarement
malý petit
mandle amande
manžel mari
manželka femme *(épouse)*
mapa carte *(géographique)*
máslo beurre
maso viande
materiál matériel
matka mère
matrace matelas
mě, mi me
měď cuivre

med miel

mělký peu profond

meloun melon, pastèque

méně (míň) moins ; **méně než** moins que

měnit/směnit changer *(de l'argent)*

měnit/vyměnit (si) changer, échanger

menstruace règles ; **mít menstruaci** avoir ses règles

meruňka abricot

měřit : měřit/změřit si teplotu prendre sa température

měsíc lune, mois

město ville ; **staré město** vieille ville

metr mètre

metro métro

mezi parmi, entre ; **mezi dvanáctou a druhou (hodinou)** entre midi et 2

mezinárodní international

míč ballon

míček balle

míchaná vajíčka œufs brouillés

míchat/smíchat mélanger

mi *voir* **mě**

mikrovlnná trouba micro-ondes

milovat aimer *(d'amour)*

milý gentil, accueillant

miminko bébé

mimo provoz hors service

mince pièce *(de monnaie)*

minerální minérale

minerální voda eau minérale

minulost histoire *(passé)*

minulý rok l'année dernière

minuta minute

miň *voir* **méně**

mísa plat *(récipient)*

miska bol

místní čas heure locale

místnost pièce *(lieu)*

místo *(+gén)* au lieu de

místo lieu, place *(siège)*, emplacement *(de camping)* ; **místo k zaparkování** place de parking ; **na místě** sur place

mít avoir ; **měl/měla byste...** vous devriez…

mít cenu valoir

mít na sobě porter *(vêtement)*

mít se : jak se máte? comment allez-vous ? ; **mám se dobře** je vais bien

mizet/zmizet disparaître

mladý jeune *(adj)*

mladý člověk jeune *(n)*

mléčná čokoláda chocolat au lait

mléko lait

mléko po opalování lait après-soleil

mleté maso viande hachée

mlha brouillard

mluvit parler

mnoho beaucoup (de) ; **mnohem víc** beaucoup plus

mobil portable *(téléphone)*

moci pouvoir ; **nemůžu chodit** j'ai du mal à marcher ; **nemůžu zavřít** je n'arrive pas à fermer ; **mohlo by pršet** il risque de pleuvoir

móda mode

moderní moderne

módní à la mode, branché

modrý bleu *(couleur)*

modřina bleu *(sur la peau)*

moji, moje, moje mes

mokrý mouillé

moment moment

moped mobylette®

moře mer ; **Středozemní/Severní moře** la mer Méditerranée/du Nord

most pont

motor moteur

motorka moto

moučník dessert

moudrý sage

moucha mouche

mouka farine

možná peut-être

možný possible

mrak nuage

mravenec fourmi

mraznička congélateur

mrkev carotte

mrtvý mort *(adj)*

mše messe

můj, moje, moje mon/ma, le mien/la mienne

muset devoir *(v)* ; **musím udělat** il faut que je fasse

mušle coquillage

muzeum musée

muž homme

my nous

myčka lave-vaisselle

mýdlo savon

mýlit se/zmýlit se se tromper

myslet (na) penser (à) ; **myslím, že...** je crois que…

myš souris

mýt/umýt laver ; **mýt se/umýt se** se laver ; **mýt/umýt nádobí** faire la vaisselle ; **mýt si/umýt si vlasy** se laver les cheveux

N

na sur ; **na nádraží** à la gare

na shledanou au revoir

nabídka dne plat du jour

nabízet/nabídnout proposer, offrir

náboženství religion

nad au-dessus

nádherný superbe

nádobí vaisselle

nádraží gare

nadváha excédent *(de bagages)*

nafukovací matrace matelas pneumatique

náhodou par hasard

nahoru/nahoře dessus, en haut

náhradní de rechange ; **náhradní díl** pièce de rechange

náhrdelník collier

nahý nu

nachlazený enrhumé

nájem location *(de maison)*

nájemné loyer

najít trouver

nakažlivý contagieux

nákup courses

nákupní středisko centre commercial

nakupovat/nakoupit faire des/les courses

nákupy shopping ; **chodit po nákupech** aller faire du shopping

nálada humeur

nalevo (od) à gauche (de)

náměstí lieu *(public)*

naopak au contraire

nápad idée

napadnout agresser

náplast pansement

nápoj boisson

napravo (od) à droite (de)

naproti en face (de)

náprsní taška portefeuille

například par exemple

náramek bracelet

nárazník pare-chocs

narodit se naître ; **narodil/narodila jsem se** *(+ date au gén)* je suis né(e) le…

národnost nationalité

narozeniny anniversaire ; **všechno nejlepší k narozeninám!** bon anniversaire !

následující suivant

nástroj instrument *(de musique)*

nástup montée *(en voiture)*, embarquement

nástupiště quai *(de gare, de métro)*

nastupovat/nastoupit monter *(en voiture)*, embarquer

nastydnout prendre froid

náš, naše, naše notre, le/la nôtre

naši, naše, naše nos

naštěstí heureusement

náušnice boucles d'oreilles

návrat retour

návštěva visite

navštěvovaný animé

navštěvovat/navštívit visiter, rendre visite à

navštívenka carte de visite

názor avis

nazývat se s'appeler

ne non ; **vůbec ne** pas du tout

nebe ciel ; **pod širým nebem** en plein air
nebezpečný dangereux
nebo ou
něco quelque chose
nedávný récent
neděle dimanche
nedorozumění malentendu
negativ négatif
nehet ongle
nehoda accident
nechat laisser ; **nechat na pokoji** laisser tranquille ; **nechat být** laisser tomber
nějaký certain
nejbližší le plus proche
nejdřív d'abord
nejlepší le meilleur ; **všechno nejlepší** meilleurs vœux
někam, někde quelque part
někdo quelqu'un
někdy quelquefois
několik quelques, plusieurs
někteří quelques-uns
Němec, Němka Allemand(e)
Německo Allemagne
německý allemand
nemoc maladie
nemocnice hôpital
nemocný malade
nemožný impossible
němý muet
neperlivá voda eau plate
nepromokavý plášť imperméable
nepříjemný désagréable
nervózní nerveux
nesmělý timide
nesnášet détester
nespavost insomnie
nést voir **nosit**
neuspokojivý décevant
nevolno : je mi nevolno j'ai mal au cœur
nezaměstnanost chômage
nezaměstnaný au chômage
nezapomenutelný inoubliable

nezávislý indépendant
než que ; **menší než** plus petit que
nic rien ; **nic zvláštního** rien d'exceptionnel ; **nic moc** pas terrible ; **to nic** ça ne fait rien
nikde nulle part
nikdo personne (pronom)
nikdy jamais
nízký bas (adj)
Nizozemsko Pays-Bas
noc nuit ; **dobrou noc** bonne nuit
noha jambe, pied
normální normal
nos nez
nosit/nést porter
nouzový východ sortie de secours
novinka nouvelle
novinový stánek kiosque à journaux
noviny journal
nový nouveau, neuf
nudit se s'ennuyer
nula zéro
nutný nécessaire, urgent ; **v nutném případě** en cas d'urgence
nůž couteau
nůžky ciseaux
nůžky na nehty coupe-ongles

oba tous les deux
obálka enveloppe
občanský průkaz carte d'identité
oběd déjeuner
obědvat/naobědvat se déjeuner (v)
oběh circulation (du sang)
obchod boutique, magasin, commerce ; **obchod se smíšeným zbožím** épicerie
obilniny céréales
objednat se prendre un rendez-vous (chez le médecin)
objednávat (si)/objednat (si) commander (plat, boisson)
objektiv objectif (photo)
objevovat/objevit découvrir

oblečení vêtement
oblékat (se)/obléci (se) (s')habiller
oblíbený préféré
obraz tableau *(d'art)*
obsazeno : je obsazeno il n'y a plus de place
obsazený occupé, complet
obsazovat/obsadit occuper
obsluha service
obvaz bandage
obvykle d'habitude
oceán océan
ocet vinaigre
oči yeux
očkován : být očkován proti être vacciné contre
od à partir de, depuis, dès ; **od té doby, co** depuis que
oddechnout si se détendre
oddělení rayon *(d'un magasin)*
oddělovat/oddělit séparer
odesílatel expéditeur
oděv vêtement
odcházet/odejít s'en aller, partir *(à pied)*
odjezd départ *(train)*
odjíždět/odjet partir *(en voiture)*
odkdy? depuis quand ?
odkud d'où ; **odkud jsi?** d'où viens-tu ?
odlet départ *(avion)*
odlétat/odletět décoller *(avion)*
odlišný (od) différent (de)
odmítat/odmítnout refuser
odnášet/odnést emporter
odpadky ordures
odpočívat/odpočinout si se reposer ; **trochu si odpočinout** faire la sieste
odpoledne après-midi
odpověď réponse
odpovídat/odpovědět répondre
odsud d'ici ; **dva kilometry odsud** à 2 km d'ici
odtučněné mléko lait écrémé
odvaha courage
odvážet/odvézt emmener *(en voiture)* ;

odvážet/odvézt domů rapatrier
odvažovat se/odvážit se oser
oheň feu ; **nemáš oheň?** tu as du feu ?
ohlášení déclaration *(de perte, vol)*
ohňostroj feux d'artifice
ohřívač vody chauffe-eau
okamžik instant ; **okamžik, prosím** un instant, s'il vous plaît
okno fenêtre, vitre
oko œil
okolí : v okolí dans les environs
okrádat/okrást voler *(dérober)*
okružní circulaire
okurka concombre
olej huile
olivy olives
omáčka sauce
omdlít s'évanouir
omeleta omelette
omlouvat (se)/omluvit (se) (s')excuser
omluva excuse
omyl erreur
on, ona, ono il, elle
onemocnět tomber malade
oni, ony ils, elles
opačný contraire
opakovat/zopakovat répéter
opálený bronzé
opalovací krém crème solaire
opalovat/opálit bronzer *(brunir)* ; **opalovat se/opálit se** bronzer *(s'exposer)*
opatství abbaye
opera opéra
operován : být operován se faire opérer
opilý soûl
opírat (se)/opřít (se) appuyer (sur)
opouštět/opustit quitter
oprava travaux
opravdu vraiment
opravovat/opravit réparer ; **dát opravit** faire réparer
optik opticien

oranžová orange *(couleur)*
organizovat/zorganizovat organiser
orchestr orchestre
orientační bod point de repère
originální original *(adj)*
ořech noix
oříšek noisette *(fruit)*
oslava fête
osoba personne
osobně personnellement
ostatně d'ailleurs
ostrov île
osuška serviette de bain
ošklivý moche ; **je ošklivo** il fait mauvais
otáčet se/otočit se tourner, faire demi-tour *(en voiture)*
otázka question
otec père
oteklý enflé
otevírat/otevřít ouvrir
otevřený ouvert
otrava intoxication alimentaire
otravný embêtant
otvírač konzerv ouvre-boîtes
otvírač lahví décapsuleur
ověřovat/ověřit vérifier
ovoce fruit
ovocná šťáva jus de fruit

P

pacient patient
padat/upadnout tomber
páchnout sentir mauvais
palác palais
pálit/spálit (se) (se) brûler
památka monument, souvenir ; **na památku** en souvenir de
pán Monsieur
pánev poêle
paní Madame
papír papier ; **papíry** papiers (d'identité)
papírnictví papeterie
papírový kapesník kleenex®

papírový ubrousek serviette en papier
paprika poivron
pardon pardon
párek saucisse
parfém parfum *(cosmétique)*
park parc
parkovat/zaparkovat (se) garer
parkoviště parking
pas taille *(partie du corps)* ; passeport
pásek ceinture
paštika pâté
pátek vendredi
patro étage
pavouk araignée
paže bras
péci/upéci cuire *(au four)*
pečený cuit *(au four)* ; **dobře propečený** bien cuit ; **příliš propečený** trop cuit
pedál plynu accélérateur
pekařství, pekárna boulangerie
pěna na holení mousse à raser
peněženka porte-monnaie
peníze argent *(monnaie)*
pepř poivre
perfektní parfait
perlivá voda eau gazeuse
pero stylo
pes chien
pěší zóna rue piétonne
pěšky à pied
píchat/píchnout piquer ; **píchlo mě** se faire piquer (par)
piknik pique-nique ; **dělat/udělat si piknik** pique-niquer
PIN code confidentiel
pinzeta pince à épiler
písek sable
písmeno lettre *(de l'alphabet)*
pít/napit se boire
pitný potable
pivo bière ; **točené pivo** pression ; **velké pivo** demi
pizzérie pizzeria
placený payant
plakat pleurer

plakát affiche
plán plan *(carte)*
plastikový plastique
pláštěnka K-way®
plátek tranche
platit/zaplatit payer
platnost validité ; **platnost do** date d'expiration
platný valable (pour) ; en cours de validité
plavání natation
plavat nager ; **umět plavat** savoir nager
plavčík maître nageur
plavky maillot de bain
pláž plage
plenka couche *(pour enfant)*
pleť peau
plíce poumon
plná penze pension complète
plnotučné mléko lait entier
plný plein (de) *(adj)*
plody moře fruits de mer
plochý plat *(adj)*
plomba plombage
plotýnka : elektrická plotýnka plaque électrique
plyn gaz
plynový vařič camping-gaz®
pneumatika pneu
po après
pobřeží côte *(maritime)*
pobyt séjour
počasí temps *(météo)*
počet nombre
počítač ordinateur
počítat/spočítat (s) compter (sur) ; **počítat s** prévoir
pod sous, en dessous (de)
podání enregistrement *(des bagages)*
podařit se réussir à faire
podávat/podat enregistrer *(bagages)*
podepisovat/podepsat signer
podlaha sol
podobat se ressembler à, se ressembler

podpatek talon ; **boty s vysokým podpatkem** chaussures à talons
podprsenka soutien-gorge
podzim automne
pohlaví sexe
pohlednice carte postale
pohodlný confortable
pohotovost : volat/zavolat na pohotovost appeler les urgences
pochod marche *(à pied)* ; **dělat pochody** faire de la marche
pojištění assurance
pokaždé chaque fois
pokládat : nepokládejte ne quittez pas
pokladna caisse *(où payer)*
pokladní stvrzenka ticket de caisse
pokoj chambre *(d'hôtel)* ; **pokoj pro hosty** chambre d'hôtes
pokoj : nechte mě na pokoji! laissez-moi tranquille !
pokračovat continuer à
pokrok : dělat/udělat pokroky faire des progrès
pokuta amende
poledne midi
polévka soupe
policie police
policista policier
polní láhev gourde
polopenze demi-pension
polotučné mléko lait demi-écrémé
poloviční demi *(adj)*
poloviční tarif tarif réduit
polovina moitié ; **v polovině** en milieu de
polštář oreiller
pomáda pommade
pomáhat/pomoci aider
pomalu lentement
pomeranč orange *(fruit)*
pomoc aide, secours ; **pomoc!** au secours ! ; **volat/zavolat o pomoc** appeler au secours
pondělí lundi
poněvadž puisque

ponožky chaussettes
popelnice poubelle
popelník cendrier
poplatek taxe
poradit si se débrouiller
porazit : porazilo mě auto je me suis fait renverser par une voiture
pórek poireau
portrét portrait
Portugalec, Portugalka Portugais(e)
Portugalsko Portugal
portugalský portugais
porucha panne ; **mít poruchu** tomber en panne
posílat/poslat envoyer
posilovač řízení direction assistée
poslední dernier ; **na poslední chvíli** au dernier moment
poslouchat/poslechnout si écouter
posloužit si se servir de
pospíchat/pospíšit si être pressé, se dépêcher
postavit : postavený v... construit en ...
postel lit
postříbřený plaqué argent
pošta bureau de poste, courrier
poštovní schránka boîte aux lettres *(publique)*
poštovní směrovací číslo code postal
potit se/zpotit se transpirer
potkávat (se)/potkat (se) (se) rencontrer
potom ensuite
potřebovat avoir besoin de
potvrzovat/potvrdit confirmer *(vol)*
poukaz virement *(bancaire)*
pouť fête foraine
používat/použít utiliser
povídat si bavarder
povlak na polštář taie d'oreiller
povolání métier
pozdě tard ; **příliš pozdě** trop tard
pozítří après-demain
pozlacený plaqué or
poznávat : rád/ráda vás poznávám

ravi(e) de faire votre connaissance
pozor ! attention !
pozvaný invité *(adj)*
požár incendie
práce travail
pracovat travailler ; **pracovat v** travailler dans
pračka machine à laver
prádelna laverie
praktický pratique
prase cochon
prasklý crevé *(pneu)*
prasknout crever *(pneu)*
prášek poudre, comprimé
prášek na praní lessive
prášek na spaní somnifère
prát/vyprat faire la lessive
pravda : to je pravda c'est vrai
pravděpodobně probablement
pravdivý vrai
právo droit ; **mít právo na...** avoir le droit de…
pravý droite
prázdniny vacances *(scolaires)* ; **na prázdninách** en vacances ; **trávit/strávit prázdniny v/na...** passer les vacances à…
prázdný vide
pro pour
problém problème
procento pour cent
procesí procession
proč? pourquoi ?
prodavač, prodavačka vendeur(euse), marchand(e)
prodej : prodej vstupenek billetterie ; **na prodej** à vendre
profesor professeur
program programme, chaîne *(de télévision)*
prohlídka s průvodcem visite guidée
procházet se/projít se se promener ; **jít se projít** aller se promener
projíždět être de passage
prominout : promiňte excusez-moi, pardon

pronajímat/pronajmout (maison) louer (à quelqu'un) ; **pronajímat si/pronajmout si** louer (pour soi)

proplatit : dát si proplatit výlohy se faire rembourser

prosinec décembre

prosit : prosím tě je t'en prie, s'il te plaît ; **prosím vás** je vous en prie, s'il vous plaît

prospekt dépliant, prospectus

prostěradlo drap

prostředek moyen

prostředek na mytí nádobí liquide vaisselle

prostředek proti hmyzu insecticide

prostředí milieu

prošlý périmé

protestantský protestant

proti contre

protože parce que

provoz circulation (de voiture)

prozatím pour le moment

prsa sein

prst doigt

prsten bague

pršet pleuvoir ; **prší** il pleut

průjem : mít průjem avoir la diarrhée

průkaz carte

průměrná doba durée moyenne

průměrný moyen (adj)

průvodce guide

první premier

prý... on dit que...

přání souhait, vœu

přece quand même

před devant, avant ; **před dvěma lety** il y a 2 ans, ça fait 2 ans que ; **před tím, než** avant de

předčíslí indicatif (téléphonique)

předem à l'avance

předevčírem avant-hier

předchozí précédent

předkrm entrée (de repas)

předměstí banlieue

přední kolo roue avant

přední sklo pare-brise

předplatné forfait (prix fixe)

předpověď počasí prévisions météo

představení spectacle

představovat/představit présenter ; **představuji ti...** je te présente ...

přehled pořadů guide des spectacles

přecházet/přejít traverser (rue)

překládat/přeložit traduire

překvapení surprise

přemýšlet réfléchir

přenosný počítač ordinateur portable

přeplněný bondé

přesně exactement ; **přesně tři hodiny** 3 heures pile

přestávka entracte

přestup correspondance (changement)

převést : dát si převést poštu faire suivre (courrier)

převlékat se/převléknout se se changer

převod virement (bancaire)

převodovka boîte de vitesses

přibližně à peu près

příbor couvert (de table)

přicházet/přijít venir, arriver (à pied) ; **právě jsem přijel/přijela** je viens d'arriver

příchod arrivée (personne)

příjem réception (sur portable)

příjemný agréable

příjezd arrivée (train, voiture)

přijímat/přijmout accepter

přijít voir **přicházet**

přijít na : přijde na to ça dépend (de)

přijíždět/přijet arriver, venir (en voiture)

příjmení nom de famille

příklad exemple

přikrývka couverture

přilba casque

přílet arrivée (avion)

příležitost occasion

příliš trop (de)

přímo directement

přímý direct, droit

přinášet/přinést apporter

případ cas ; **v případě** au cas où ;

v případě, že... en cas de... ;
v každém případě de toute façon
příplatek supplément
připomínat : to mi připomíná... ça
me rappelle…
připravený prêt ; **být připravený k**
être prêt à
připravovat/připravit préparer
příroda nature
příruční zavazadlo bagages à main
přístav port
přístup accès
příště : příště na shledanou! à une
prochaine !
příští prochain
přítel, přítelkyně ami(e) ; **můj přítel**
petit ami ; **moje přítelkyně** petite
amie
přivádět/přivést amener
přivítat voir **vítat**
přízemí rez-de-chaussée
přízvuk accent
psát/napsat écrire, taper (à l'ordinateur)
PSČ code postal
pták oiseau
ptát se/zeptat se poser une question
publikum public
puchýř ampoule (sur la peau)
půjčovat/půjčit prêter ; **půjčovat
si/půjčit si** emprunter, louer (voiture)
půjčovna location (de voiture)
půl litru/kila un demi-litre/-kilo
půlhodina une demi-heure
půlnoc minuit
pumpička pompe à vélo
punčocháče collants
pupínek bouton (sur la peau)
pusa bise
působivý impressionnant
původ origine ; **být francouzského
původu** être d'origine française
pyšný na fier (de)
pytel na odpadky sac poubelle
pyžamo pyjama

R

rád : mít rád/ráda aimer ; **nemít
rád/ráda** détester ; **rád/ráda bych...**
j'aimerais (bien)…
rada conseil ; **žádat/požádat o radu**
demander conseil (à)
radiátor radiateur
rádio radio
radit/poradit conseiller
radnice mairie
radost plaisir ; **dělat/udělat radost**
faire plaisir à
rajče tomate ; **rajčata** tomates
raketa raquette
rameno épaule
ramínko cintre
rána plaie
ráno matin
recepce réception ; **na recepci** à la
réception
recepční réceptionniste
recept recette
reflektor phare (de véhicule)
reklama publicité
rekonstrukce travaux
rentgen radio (rayons X)
rentgenové paprsky rayons X
reservé réservé
restaurace restaurant
ret lèvre
revmatismus rhumatismes
rezervní kolo roue de secours
rezervovat/zarezervovat réserver
riziko risque
roční období saison
rodiče parents
rodina famille
rodné příjmení nom de jeune fille
roh coin
rok an, année ; **šťastný Nový rok!**
bonne année !
romantický romantique
rostlina plante
rozbít casser
rozčilený fâché

rozčilovat/rozčílit énerver
rozeznávat/rozeznat reconnaître
rozhodovat (se)/rozhodnout (se) (se) décider
rozcházet se/rozejít se se séparer
rozinky raisins secs
rozmazaný flou
rozměňovat/rozměnit faire de la monnaie
rozmyslet si changer d'avis
rozsvítit allumer *(lumière)*
roztomilý mignon
rozumět/porozumět comprendre ; **dobře/špatně si rozumět** bien/mal s'entendre
rozumný prudent
rozvaliny : v rozvalinách en ruines
rozvedený divorcé
rozzlobený en colère
rtěnka rouge à lèvres
ruční brzda frein à main
ruční práce fait main
ručník serviette *(de toilette)*
ruka main, bras ; **k rukám...** à l'attention de…
rukáv manche
rukavice gant
rum rhum
rušit/vyrušit déranger
rušit/zrušit annuler
růže rose *(fleur)*
růžový rose *(adj)*
rvačka bagarre
ryba poisson
rybárna poissonnerie
rychlé občerstvení fast-food
rychle vite
rychlost vitesse ; **co nejrychleji** à toute vitesse
rychlý rapide
rýma rhume
rýže riz

Ř

řada : řada je na tobě c'est ton tour

řasy algues
Řecko Grèce
řecký grec
Řek, Řekyně Grec(que)
řeka fleuve, rivière
řemeslný artisanal
řetěz chaîne de vélo
řezat/uříznout couper *(au couteau)* ; **říznout se** se couper
řeznictví boucherie
řidičský průkaz permis de conduire
řídit conduire
říjen octobre
říkat/říct dire ; **jak se to řekne?** comment ça se dit ?

S

s, se avec ; **s sebou** à emporter
sáček sachet *(de thé)*
sádra : mít sádru avoir un plâtre
sako veste
sál salle ; **koncertní sál** salle de concert
salám saucisson
salát salade ; **hlávkový salát** laitue
salón salon
sám moi-/lui-même, seul ; **cestovat sám** voyager seul
samozřejmě bien sûr
sandály sandales
sanitka ambulance
sardinka sardine
sbor temple *(protestant)*
sdílet partager
se *voir* **s**
sedat si/sednout si s'asseoir
sekretářka secrétaire *(femme)*
sekunda seconde
sem ici
semafor feu rouge
sen rêve
sendvič sandwich
senná rýma rhume des foins
sestra sœur
sestra (zdravotní) infirmière

sešit cahier
sever nord ; **na sever od** au nord (de)
scházet manquer ; **schází (mi) dva...** il (me) manque deux…
scházet se/sejít se (se) retrouver (se donner rendez-vous)
schnout/vyschnout sécher
schod marche *(d'escalier)*
schodiště escalier
schránka (na dopisy) boîte aux lettres *(privée)*
schůze réunion
schůzka rendez-vous ; **dát si schůzku** se donner rendez-vous ; **mít schůzku s** avoir rendez-vous (avec)
schválně exprès
silný fort *(personne)*
sirup sirop *(médicament)*
situace situation
skála rocher
sklenice verre, pot *(de confiture)*
sklenička verre ; **sklenička vody/ vína** verre d'eau/de vin ; **pít/vypít (si) skleničku** boire un verre
sklo vitre
skopové (maso) mouton *(viande)*
skrz à travers
skupina groupe
skutečnost fait ; **ve skutečnosti** en fait, en réalité
skútr scooter
skvělý magnifique
skvrna tache
slabý faible
sladký sucré
slaná sušenka biscuit salé
slaný salé
slavný célèbre
slazený sucré
slečna Mademoiselle
sledovat suivre
slepice poule
slepý aveugle
sleva promotion, réduction
slibovat/slíbit promettre
slipy slip

sloužit k servir à
slovník dictionnaire
slovo mot ; **hrubé slovo** gros mot
slunce soleil ; **na slunci** au soleil
sluneční brýle lunettes de soleil
sluneční klobouk chapeau de soleil
sluneční parasol
slušet : sluší vám to ça vous va bien
slušný poli
služba service ; **prokazovat/prokázat službu** rendre un service
služební cesta voyage d'affaires
slyšet/uslyšet entendre
smát se/zasmát se rire, rigoler
smažené brambůrky chips
smažený frit
směr direction, sens ; **směrem na/do** en direction de
smetana crème fraîche
smlouva contrat
smrt mort *(n)*
smutný triste
smysl sens, signification
snadný facile ; **dá se to snadno udělat** c'est facile à faire
snaha effort
snášet/snést supporter ; **nesnáším...** je ne supporte pas…
snažit se faire un effort
sněžit neiger
snídaně petit déjeuner
snídat/nasnídat se prendre un petit déjeuner
sníh neige
snít rêver
snižovat/snížit cenu faire un rabais
snoubenec, snoubenka fiancé(e)
sobota samedi
sodovka boisson gazeuse
socha sculpture, statue
sotva à peine ; **stojí to za to** ça vaut la peine
současný contemporain ; **v současné době** de nos jours
součást : být součástí faire partie de
souhlasit : souhlasím je suis d'accord

soukromý privé

soused voisin

spací pytel sac de couchage

spálenina brûlure

spát/vyspat se dormir ; **spát pod širým nebem** dormir à la belle étoile ; **spát s** coucher avec ; **chodit/jít spát** se coucher ; **chce se mi spát** j'ai sommeil

specialita spécialité

spisovatel écrivain

spíš plutôt

splachovač chasse d'eau

splasklý dégonflé

spodky caleçon *(sous-vêtement)*

spodní prádlo sous-vêtements

Spojené státy americké États-Unis

spojka embrayage

spokojený content

společnost société, entreprise

spolu ensemble

sportovně založený sportif *(adj)*

sportovní oblečení jogging *(tenue)*

spotřebovat consommer

spravedlivý juste

správný correct

sprcha douche

sprchovat se/vysprchovat se prendre une douche

sprchový gel gel douche

spropitné pourboire

SPZ numéro d'immatriculation

srdce cœur

srdečný chaleureux

srpen août

stačit suffire ; **to stačí** ça suffit ; **stačí...** il suffit de…

stadión stade

stále rovně tout droit

stan tente

stanice station

stanice metra station de métro

starost souci

starý ancien, vieux

stát *(n)* l'État

stát *(v)* coûter ; **kolik to stojí?** combien ça coûte ? ; **stojí to...** ça vaut… *(somme)*

stát se devenir

statek ferme

státní poznávací značka numéro d'immatriculation

státní svátek fête nationale

stav état

stávat se/stát se arriver, se passer

stavit se passer ; **stavit se pro** passer prendre quelqu'un ; **stavil/stavila jsem se kolem šesté** je suis passé(e) vers 6 heures

stáž stage

stehno cuisse *(de poulet)*

stejný pareil

stezka sentier

stezka pro cyklisty piste cyclable

stěžovat si/postěžovat si se plaindre

stín ombre ; **ve stínu** à l'ombre

století siècle ; **v devatenáctém století** au XIXᵉ siècle

stopovat faire du stop

strach peur

strana page, côté

strašný affreux

strom arbre

strýc oncle

střed centre

středa mercredi

středověk Moyen-Âge

středověký médiéval

střevní chřipka grippe intestinale

stříbro argent *(métal)*

stříhat/ustřihnout couper *(avec des ciseaux)*

student étudiant

studený froid

studium études

studovat faire des études

stůl table

stupeň degré *(de température)*

stvrzenka reçu, accusé de réception

styl style

sucho sécheresse

suchý sec

sukně jupe
sůl sel
super super *(essence)*
supermarket supermarché
sušenka biscuit, gâteau sec
sušit/ususit faire sécher
suvenýr souvenir *(objet)*
svačina casse-croûte, goûter
sval muscle
svatba mariage
svatební cesta voyage de noces
svátek jour férié
svědit démanger
svět monde
světlo lumière
světlý blond, clair ; **světle modrý** bleu clair
svetr pull
svíčka bougie
svobodný célibataire
svoji, svoje, svoje mes, tes, ses etc *(lorsque le sujet de la phrase est possesseur)*
svůj, svoje, svoje mon/ma, ton/ta etc *(lorsque le sujet de la phrase est possesseur)*
sympatický sympathique
syn fils
synagoga synagogue
sýr fromage
syrový cru

Š

šachy échecs
šála écharpe
šálek tasse
šampaňské champagne
šampón shampooing
šátek foulard
šatna vestiaire
šaty robe
šedý gris
šek chèque
šik chic
šipka flèche

široký large
škeble moules
škoda : to je škoda c'est dommage
škola école
šlehačka crème chantilly
šok choc
šokující choquant
šortky short
Španěl, Španělka Espagnol(e)
Španělsko Espagne
španělský espagnol
špatně mal *(adv)*
špatně nausée ; **je mi špatně od žaludku** j'ai la nausée
špatný faux, mauvais ; **velmi špatný** nul ; **není to špatné** ce n'est pas mal
špenát épinards
šperk bijoux
špinavé prádlo linge sale
špinavý sale
špinit/ušpinit (se) (se) salir
špunty do uší boules Quiès®
šťastný heureux
šťáva jus
štěstí chance ; **hodně štěstí!** bonne chance !, bon courage !
šunka jambon
švestka prune

T

tabák tabac *(à fumer)*, bureau de tabac
tableta pilule
tábor colonie de vacances
táboření camping *(activité)*
tábořiště terrain de camping
tabule panneau *(de signalisation)*
tady ici, là, voici
tahat/táhnout tirer
tajemství secret
tak si, tellement ; **tak jako** aussi bien que
tak ať tant pis
také aussi ; **já také** moi aussi ; **já také ne** moi non plus
talíř assiette

tam y, là-bas, voilà
tam nahoře là-haut
tampón tampon *(hygiénique)*
tamta celle-là
tamten celui-là
tamti ceux-là
tarif tarif ; **plný tarif** plein tarif
taška sac
tato cette, celle-ci
taxi taxi
taxikář chauffeur de taxi
tě, ti te
teď maintenant
tedy alors, donc
těhotná enceinte
telecí (maso) veau *(viande)*
telefon téléphone ; **mobilní telefon** téléphone portable ; **kdo je u telefonu?** qui est à l'appareil ?
telefonistka standardiste
telefonní kabina cabine téléphonique
telefonní karta carte de téléphone
telefonní seznam annuaire
telefonovat/zatelefonovat téléphoner
televize télévision
tělo corps
téměř presque
tenis tennis *(sport)*
tenisky tennis, baskets *(chaussures)*
tento ce, celui-ci
teploměr thermomètre
teplota température
teplý chaud ; **je teplo** il fait chaud ; **teplé nápoje** boissons chaudes
terasa terrasse ; **na terase** en terrasse
termín date limite
termoska thermos®
těsný serré
těsto pâte
těstoviny pâtes
těšit : těší mě enchanté !
teta tante
těžký lourd, difficile
ticho silence
tichý calme
tím lépe tant mieux

tisknout/vytisknout imprimer
tiše doucement, bas
titulky : s titulky sous-titré
tkaničky lacets
tlačit/zatlačit pousser *(voiture)*
tlak tension, pression *(de pneu)* ; **nízký tlak** hypotension ; **vysoký tlak** hypertension
tlustý gros
tmavý foncé
to ça
to je c'est
toaletní papír papier toilette
toaletní potřeby trousse de toilette
toalety toilettes ; **pánské/dámské toalety** toilettes pour hommes/femmes
topení chauffage
topit se/utopit se se noyer
toto cela
továrna usine
tradice tradition
tradiční traditionnel
trafika bureau de tabac
tramvaj tramway
tranzit transit
tráva herbe
trávit/strávit passer *(du temps)*
trh marché
tričko tee-shirt
trochu un peu (de) ; **jen trochu** juste un peu
trosky ruines
trouba four
trpělivý patient *(adj)*
trvání durée
trvat durer ; **trvá to dvě hodiny** ça prend 2 heures
třeba : je třeba, aby... il faut que...
třešeň cerise
třída avenue, classe ; **první/druhá třída** première/deuxième classe
tříska écharde
tučný gras *(adj)*
tuňák thon
túra randonnée ; **chodit/jít na túru** faire de la/une randonnée

turista touriste
turistický touristique
tužka crayon
tvoji, tvoje, tvoje tes
tvrdý dur *(solide)*
tvůj, tvoje, tvoje ton/ta, le tien/la tienne
ty tu, toi
týden semaine ; **celý týden** toute la semaine ; **v týdnu** en semaine
typ type, sorte
typický typique
tyto ces, ceux-ci

U

u chez
ubrousek serviette *(de table)*
ubytování logement
ubytovat héberger
ubytovna pro mládež auberge de jeunesse
účet addition, note
učit (se)/naučit (se) apprendre
údolí vallée
udržovaný préservé
ucho oreille
ukazovat/ukázat montrer
ukládat/uložit sauvegarder
uklízet/uklidit ranger, faire le ménage
úkryt refuge
ulice rue
umělec artiste
umělecké dílo œuvre d'art
umění art
umírat/umřít mourir
úmysl intention ; **mít v úmyslu** avoir l'intention de
umyvadlo lavabo
unavený fatigué ; **moc unavený** crevé
únavný fatigant
unikání fuite
univerzita université
únor février
úpal insolation, coup de soleil ; **dostat úpal** prendre un coup de soleil

úplně complètement, en entier
upozorňovat/upozornit prévenir
uprostřed au milieu (de)
upřímně franchement
uražený vexé
urážka insulte
úschovna consigne *(pour bagages)*
usínat/usnout s'endormir
usmívat se/usmát se sourire *(v)*
úspěch succès
ústa bouche
ústřice huître
uši oreilles
utěrka torchon
úterý mardi
útes falaise
utrácet/utratit dépenser
uvnitř dedans, à l'intérieur
uzdravit se guérir
uzeniny charcuterie
už déjà ; **už není...** il n'y a plus de…
úžasný formidable, passionnant
užitečný utile
užitkový non potable

V

v, ve dans, en ; **být ve Francii** être en France ; **v roce 1995** en 1995 ; **ve tři hodiny** à 3 heures
vada défaut
vadit gêner ; **to nevadí** ce n'est pas grave
vagón voiture *(d'un train)*
váhat hésiter
vajíčko œuf
vajíčko na měkko œuf à la coque
vajíčko na tvrdo œuf dur
válka guerre
vana baignoire
vanilka vanille
Vánoce Noël ; **veselé Vánoce!** joyeux Noël !
vařený bouilli
vařit/uvařit faire bouillir, faire la cuisine
váš, vaše, vaše votre, le/la vôtre

vaši, vaše, vaše vos
vata coton *(hydrophyle)*
vatové tyčinky coton-tige®
vážný sérieux, grave
včas à l'heure
včela abeille
včera hier ; **včera večer** hier soir
vdaná mariée *(femme)*
vděčný reconnaissant
vdovec, vdova veuf(veuve)
ve *voir* **v**
věc chose ; **věci** affaires *(personnelles)*
večer soir, soirée, dans la soirée ;
  každý večer le soir ; **dnes večer** ce
  soir
večeře dîner *(n)*
večeřet/navečeřet se dîner *(v)*
večírek soirée *(fête)*
vědět savoir ; **nevím** je ne sais pas
vedle à côté de
vedoucí patron, chef
vedro : je vedro il fait trop chaud
vegetarián végétarien
věk âge
veletrh foire
Velikonoce Pâques ; **veselé
  Velikonoce!** joyeuses Pâques !
velikost taille, pointure
Velká Británie Royaume-Uni
velký grand
velmi très
velvyslanectví ambassade
venkov campagne
venku dehors
ventilátor ventilateur
vepřové (maso) porc *(viande)*
verze : v původní verzi en version
  originale
veřejnost public *(n)*
veřejný public *(adj)*
věřit/uvěřit croire
vesnice village
věta phrase
veterinář vétérinaire
většina la plupart de
vézt/dovézt conduire *(quelqu'un)*

věž chaîne hi-fi
vchod entrée *(lieu)*
víc plus ; **víc než** plus que
video vidéo
videohra jeu vidéo
videokazeta cassette vidéo
vidět/uvidět voir
vidlička fourchette
vietnamky tongs
víkend week-end
vila villa
víno vin ; **bílé/červené/růžové víno**
  vin blanc/rouge/rosé
vítat/přivítat souhaiter la bienvenue ;
  buďte vítán/vítána bienvenu(e) !
vítr vent
vitráže vitraux
vizitka carte de visite
vízum visa
vlajka drapeau
vlak train
vlastně au fait,…
vlastní propre
vlastník propriétaire
vlasy cheveux
vlažný tiède
vlevo (od) à gauche (de)
vlhký humide
vlna laine, vague *(n)*
vložka serviette hygiénique
voda eau
volat/zavolat appeler *(au téléphone)* ;
  volat/zavolat na účet volaného
  appeler en PCV
volejbal volley(-ball)
volný libre
volské oko œuf sur le plat
vonět sentir bon
vosa guêpe
vousy barbe
vozík (nákupní) Caddie®
vpravo (od) à droite (de)
vracet/vrátit peníze rembourser ;
  vrátit drobné rendre la monnaie
vracet se/vrátit se revenir, faire demi-
  tour *(à pied)*, rendre *(de l'argent)* ;

vracet se/vrátit se domů rentrer (à la maison)

vrchol sommet

vstávat/vstát se lever

vstupenka entrée, place (ticket)

vstupní kód code d'entrée

vstupovat/vstoupit entrer

všichni tous, tout le monde

všímat si/všimnout si remarquer

všude partout

vteřina seconde

vůně parfum (arôme), bonne odeur

vy vous

výběr choix

vybírání levée (du courrier)

vybírat (si)/vybrat (si) choisir

výborně super (adj)

výborný excellent, délicieux

vyčerpaný épuisé

výdej zavazadel retrait des bagages

vydělávat/vydělat gagner (de l'argent)

výfuk pot d'échappement

vyhazovat/vyhodit mettre à la poubelle

výhled vue

vycházet/vyjít sortir (d'un lieu)

vycházkové boty chaussures de marche

vychlazený frais (boisson)

východ est ; **na východ od** à l'est (de)

východ sortie

vyjadřovat se/vyjádřit se s'exprimer

výjezd sortie (de voiture, d'autoroute)

vyjímečný extraordinaire, exceptionnel

vyjít voir **vycházet**

výkladní skříň : ve výkladní skříni en vitrine

vykoupat se prendre un bain

vykradení cambriolage

výlet excursion

vylézt escalader

vymknout si kotník se fouler la cheville

vynášet/vynést odpadky sortir les poubelles

vypadat avoir l'air

vypínat/vypnout éteindre (appareil)

vyplňovat/vyplnit remplir (formulaire)

vypravovat/vyprávět raconter

vyprodaný complet (plein)

výprodej soldes ; **ve výprodeji** en soldes

výraz expression

výrazný fort (goût)

výrobek produit

výročí svatby anniversaire de mariage

vyrůstat/vyrůst grandir ; **vyrůstal/ vyrůstala jsem ve Francii** j'ai grandi en France

vysílání émission

vyslanectví consulat

vyslovovat/vyslovit prononcer

vysoký grand, haut

vysoušeč vlasů sèche-cheveux

výstava exposition

vystupovat/vystoupit descendre (de transports)

vysvětlovat/vysvětlit expliquer

výška haut (n)

výtah ascenseur

využívat/využít profiter de

vyvolat : dát vyvolat faire développer (pellicule)

vývrtka tire-bouchon

vyzkoušet si essayer (vêtement)

vyzvedávat/vyzvednout peníze retirer (de l'argent)

vzácný rare

vzbudit voir **budit**

vzduch air

vzít voir **brát**

vzkaz message, mot

vzpomínat si/vzpomenout si na se souvenir (de), se rappeler

vzpomínka souvenir

vztek : to je k vzteku c'est énervant

vždycky toujours

Z

z, ze de ; **jsem z Paříže** je viens de Paris

za derrière ; **za hodinu** dans/pendant une heure ; **za čtvrt hodiny** d'ici un quart d'heure ; **za dvě hodiny** au bout de 2 heures

zábavní park parc d'attractions

zábavný amusant, drôle

zabíjet/zabít tuer

zablokovaný bloqué

zabloudit se perdre, être perdu

zabývat se s'occuper de

zácpa embouteillage

zácpa : mám zácpu je suis constipé

zač : není zač il n'y a pas de quoi

začátečník débutant

začátek début ; **začátkem** au début ; **na začátku** en début de

začínat/začít commencer

záda dos

zadarmo gratuit

zadek fesses

zahrada jardin

záchranný pás bouée *(de sauvetage)*

zájezd voyage organisé

zajímavý intéressant

zakázaný interdit

zakrytý couvert *(adj)*

záležitosti affaires *(commerce)*

zámek serrure, château

zaměstnání profession

zánět průdušek bronchite

zánět slepého střeva (crise d')appendicite

západ ouest ; **na západ od** à l'ouest (de)

zápach mauvaise odeur

zápalka allumette

zapalovač briquet

zapalovat/zapálit allumer *(feu, cigarette)*

zápas match

zápěstí poignet

zapisovat se/zapsat se s'inscrire

zapojovat/zapojit brancher

zapomínat/zapomenout oublier

zaražený coincé

záruka garantie

září septembre

zásilka envoi

zastávka arrêt

zastavovat/zastavit arrêter ; **zastavovat se/zastavit se** s'arrêter

zásuvka prise *(électrique)*

zatím : zatím na shledanou à plus tard

zatímco pendant que

zátka bouchon *(de bouteille, embouteillage)*

zavařenina confiture

zavazadla bagages

zavírací doba fermeture

zavírat/zavřít fermer

závora verrou

zavřený fermé

záznamník répondeur

zboží marchandise, article

zbožňovat adorer

zbytek reste

zbývat/zbýt rester

zdá se, že... il paraît que…

zdeprimovaný déprimé

zdraví santé ; **na zdraví!** santé !, à tes/vos souhaits ! ; **být zdráv** être en bonne santé

ze voir **z**

zeď mur

zelenina légume

zelený vert

zelený citrón citron vert

zelí chou

země pays, terre ; **na zemi** par terre

zeptat se voir **ptát se**

zhasnout éteindre *(lumière, cigarette)*

zima hiver ; **je zima** il fait froid ; **je mi zima** j'ai froid

zip fermeture Éclair®

získávat/získat gagner *(du temps)*

zítra demain ; **zítra večer** demain soir ; **zítra na shledanou** à demain !

zklamaný déçu

zkoušet/zkusit essayer ; **zkusit něco udělat** essayer de faire quelque chose

zkratka raccourci

zkusit si essayer *(vêtement)*
zkušební kabina cabine d'essayage
zlato or
zlatý en or
zloděj voleur
zlomenina fracture
zlomený cassé
zlomit si nohu se casser la jambe
zlý méchant
změna changement
zmenšovat/zmenšit diminuer
zmeškávat/zmeškat rater *(train, avion)*
zmražený surgelé ; **zmražené
potraviny** les surgelés
zmrzlina glace *(à manger)*
znalosti connaissances *(savoir)*
znamenat signifier, vouloir dire
znamenat/poznamenat noter
známka timbre
známý connu, connaissance *(personne)*
znásilnění viol
znát connaître
zničený abîmé
znovu à nouveau ; **znovu se uvidět**
se revoir ; **znovu si zavolat** rappeler
(au téléphone) ; **znovu otevřít** rouvrir
zoologická zahrada zoo
zpáteční jízdenka aller-retour
zpátky : být zpátky être de retour
zpoždění retard ; **mít zpoždění** être
en retard
zpožděný retardé
zpráva nouvelle ; **dobrá/špatná zpráva** bonne/mauvaise nouvelle
zprávy informations, les nouvelles
způsob manière, façon
zralý mûr
zraněný blessé
zrcadlo glace *(miroir)*
ztrácet/ztratit perdre ; **ztrácet čas**
perdre du temps
zub dent
zubař dentiste
zubní pasta dentifrice
zvát/pozvat inviter
zvíře animal

zvlášť séparément
zvláštní spécial
zvracet vomir ; **chce se mi zvracet**
j'ai envie de vomir
zvyk habitude ; **mít ve zvyku** avoir
l'habitude (de)

Ž

žádat/požádat demander *(un service)*
žádný, žádná, žádné aucun(e)
žaludek estomac
žárovka ampoule *(électrique)*
že que ; **myslím, že...** je pense que…
žebírko côte *(viande)*
žebro côte *(du corps)*
žehlička fer à repasser
žehlit/vyžehlit repasser *(vêtement)*
žena femme
ženatý marié *(homme)*
ženský lékař gynécologue
žert blague
žertovat plaisanter
židle chaise
židovský juif
žihadlo piqûre *(d'insecte)*
žiletka lame de rasoir
žínka gant de toilette
žít vivre
život vie
živý vivant
žízeň : mít žízeň avoir soif
žlutý jaune
žvýkačka chewing-gum

GRAMMAIRE

Il y a **trois genres** en tchèque : masculin, féminin et neutre.

Il n'y a **pas d'articles**.

Les **noms masculins** se terminent par une consonne dure (**h**, **ch**, **k**, **g**, **r**, **d**, **t**, **n**) ou mouillée (**ž**, **š**, **č**, **ř**, **c**, **j**, **ď**, **ť**, **ň**) :

pán monsieur	hrad château
muž homme	stroj machine

Les **noms féminins** se terminent par **-a**, **-e**, une consonne mouillée ou une consonne dure :

žena femme	růže rose
píseň chanson	kost os

Les **noms neutres** se terminent par **-o**, **-e** ou **-í** :

město ville	moře mer
kuře poulet	stavení bâtiment

Certains noms en **-a** ou **-e** peuvent être masculins :

turista touriste	průvodce guide

Les noms masculins et féminins font leur **pluriel** le plus souvent en **-i** ou **-y**, les noms neutres en **-a**.

Certains noms n'existent qu'au pluriel, comme par exemple :

dveře porte	kalhoty pantalon

Le tchèque est une langue à déclinaisons. Il existe **sept cas** :

Le **nominatif** est le cas du sujet ou de l'attribut du sujet :
Petr je můj přítel Pierre est mon ami

Le **génitif** est le cas du complément de nom :
kolo mého přítele le vélo de mon ami

Le **datif** correspond au complément d'objet indirect :
dávám to Karlovi je le donne à Charles

L'**accusatif** est le cas du complément d'objet direct :
vidím Karla je vois Charles

Le **vocatif** sert à interpeller quelqu'un :
Karle ! Jano ! Charles ! Jeanne !

Le **locatif** indique le lieu où l'on se trouve. Il fonctionne toujours avec une préposition :

> jsem **na zahradě** je suis dans le jardin

L'**instrumental** exprime la manière, le moyen :

> jedu tam **autem** j'y vais en voiture

Les cas du génitif, datif, accusatif, locatif et instrumental s'emploient également après des prépositions, comme par exemple :

> do + gén → jedu **do Prahy** je vais à Prague

Certaines prépositions fonctionnent avec plusieurs cas, en particulier pour distinguer l'idée de mouvement et de non-mouvement, comme par exemple na + acc et na + loc respectivement :

> jdu **na zahradu** je vais dans le jardin
> jsem **na zahradě** je suis dans le jardin

En revanche, les prépositions telles que do (+ gén) et v (+ loc) n'ont qu'une seule valeur :

> jdu **do školy** je vais à l'école
> jsem **ve škole** je suis à l'école

Tableaux de déclinaisons des noms

- Noms masculins animés **pán** (monsieur), **muž** (homme) et inanimés **hrad** (château), **stroj** (machine)

	sg	pl	sg	pl
nom	pán	páni/-ové	muž	muži/-ové
gén	pána	pánů	muže	mužů
dat	pánu/-ovi	pánům	muži/-ovi	mužům
acc	pána	pány	muže	muže
voc	pane	páni	muži	muži
loc	pánu/ovi	pánech	muži/ovi	mužích
instr	pánem	pány	mužem	muži

	sg	pl	sg	pl
nom	hrad	hrady	stroj	stroje
gén	hradu	hradů	stroje	strojů
dat	hradu	hradům	stroji	strojům
acc	hrad	hrady	stroj	stroje
voc	hrade	hrady	stroji	stroje
loc	hradě	hradech	stroji	strojích
instr	hradem	hrady	strojem	stroji

Comme les neutres, les masculins inanimés tels que **hrad** (château) ont une même forme au nominatif et à l'accusatif.

- Noms féminins se terminant en **-a** (**žena** femme), **-e** (**růže** rose), ou par une consonne (**píseň** chanson, **kost** os)

	sg	pl	sg	pl
nom	žen**a**	žen**y**	růže	růže
gén	žen**y**	žen	růže	růž**í**
dat	žen**ě**	žen**ám**	růž**i**	růž**ím**
acc	žen**u**	žen**y**	růž**i**	růže
voc	žen**o**	žen**y**	růže	růže
loc	žen**ě**	žen**ách**	růž**i**	růž**ích**
instr	žen**ou**	žen**ami**	růž**í**	růž**emi**

	sg	pl	sg	pl
nom	píseň	písn**ě**	kost	kost**i**
gén	písn**ě**	písn**í**	kost**i**	kost**í**
dat	písn**i**	písn**ím**	kost**i**	kost**em**
acc	píseň	písn**ě**	kost	kost**i**
voc	písn**i**	písn**ě**	kost**i**	kost**i**
loc	písn**i**	písn**ích**	kost**i**	kost**ech**
instr	písn**í**	písn**ěmi**	kost**í**	kost**mi**

- Noms neutres se terminant en **-o** (**město** ville), **-e** (**moře** mer, **kuře** poulet) ou **-í** (**stavení** bâtiment)

	sg	pl	sg	pl
nom	měst**o**	měst**a**	staven**í**	staven**í**
gén	měst**a**	měst	staven**í**	staven**í**
dat	měst**u**	měst**ům**	staven**í**	staven**ím**
acc	měst**o**	měst**a**	staven**í**	staven**í**
voc	měst**o**	měst**a**	staven**í**	staven**í**
loc	měst**ě**	měst**ech**	staven**í**	staven**ích**
instr	měst**em**	měst**y**	staven**ím**	staven**ími**

	sg	pl	sg	pl
nom	moře	moře	kuře	kuřata
gén	moře	moří	kuřete	kuřat
dat	moři	mořím	kuřeti	kuřatům
acc	moře	moře	kuře	kuřata
voc	moře	moře	kuře	kuřata
loc	moři	mořích	kuřeti	kuřatech
instr	mořem	moři	kuřetem	kuřaty

Comme les noms, les **adjectifs** se déclinent. Ils se placent devant le nom.
Les adjectifs tchèques forment deux groupes : au nominatif, le premier
s'accorde en genre et en nombre avec le nom : mladý, mladé, mladá
(jeune) ; le second n'a qu'une forme pour tous les genres : jarní (prin-
tanier).

	sg m, n	sg f	pl m, n, f
nom	mladý, mladé	mladá	mladí, mladé, mladá
gén	mladého	mladé	mladých
dat	mladému	mladé	mladým
acc	mladého, mladé	mladou	mladé, mladé, mladá
voc	mladý, mladé	mladá	mladí, mladé, mladá
loc	mladém	mladé	mladých
instr	mladým	mladou	mladými

	sg m, n	sg f	pl m, n, f
nom	jarní	jarní	jarní
gén	jarního	jarní	jarních
dat	jarnímu	jarní	jarním
acc	jarního	jarní	jarní
voc	jarní	jarní	jarní
loc	jarním	jarní	jarních
instr	jarním	jarní	jarními

Les masculins inanimés ont toujours une même forme pour le nominatif et
l'accusatif : starý hrad (vieux château) au singulier, staré hrady au pluriel.

Le **comparatif** des adjectifs se forme en ajoutant -ší ou -ejší à fin du
mot :

> krátký court → kratší (než) plus court (que)
> moderní moderne → modernější (než) plus moderne (que)

Souvent, la consonne précédente est modifiée :

> drahý cher → dražší (než) plus cher (que)

Le **superlatif** est formé à partir du comparatif auquel on ajoute nej- en début de mot :

> nejkratší le plus court

Les adjectifs numéraux **cardinaux** 1, 2, 3 et 4 s'accordent en genre, en nombre et en cas avec le substantif. Leur déclinaison est particulière.

> **jeden muž, jedna žena, jedno dítě**
> un homme, une femme, un enfant
> **dva muži, dvě ženy, dvě děti**
> deux hommes, deux femmes, deux enfants
> **tři, čtyři muži/ženy/děti**
> trois, quatre hommes/femmes/enfants

À partir de 5, le nom qui suit est au génitif pluriel :

> **pět ... mužů/žen/dětí** cinq ... hommes/femmes/enfants

Les **ordinaux** (první, druhý...) s'accordent en genre, en nombre et en cas et se déclinent comme des adjectifs. Contrairement au français, ils sont utilisés pour exprimer l'heure et la date. Voir p. 111.

Les **pronoms personnels** se déclinent également. Le pronom sujet n'est exprimé que lorsqu'on veut insister :

> **vidím Karla** je vois Charles

mais   **já vidím Karla** moi, je vois Charles

Voir p. 111.

	je	tu	il *(m, n)*	elle
nom	já	ty	on, ono	ona
gén	mě/mne	tě/tebe	ho/něho	jí/ní
dat	mi/mně	ti/tobě	mu/němu	jí/ní
acc	mě/mne	te/tebe	ho/něho	ji/ni
loc	mně	tobě	něm	ní
instr	mnou	tebou	jím/ním	jí/ní

	nous	vous	ils *(m, n)*, elles	
nom	my	vy	oni, ona, ony	
gén	nás	vás	jich/nich	
dat	nám	vám	jim/nim	
acc	nás	vás	je/ně	
loc	nás	vás	nich	
instr	námi	vámi	jimi/nimi	

GRAMMAIRE

Vous noterez qu'il existe parfois deux formes : une forme courte (1re forme dans le tableau ci-dessus) et une forme longue (2e forme).
La forme courte des pronoms s'emploie dans une position non-accentuée :

> **prosím tě** s'il te plaît

Après les prépositions, la forme longue est obligatoire :
> **s tebou** avec toi

Pour la 3e personne, on emploiera toujours la forme en **n-** après les prépositions :
> **s ním** avec lui

Les **pronoms et adjectifs possessifs** ont les mêmes formes.

au nominatif	*m*	*f, n*
le mien/mon...	můj	moje
le tien/ton...	tvůj	tvoje
le sien/son...	jeho, její	jeho, její
le nôtre/notre...	náš	naše
le vôtre/votre...	váš	vaše
le leur/leur...	jejich	jejich

au nominatif	*m (animé)*	*f, n*
les miens/mes...	moji	moje
les tiens/tes...	tvoji	tvoje
les siens/ses...	jeho, její	jeho, její
les nôtres/nos...	naši	naše
les vôtres/vos...	vaši	vaše
les leurs/leurs...	jejich	jejich

Les pronoms et adjectifs possessifs de la première et deuxième personne s'accordent avec le nom qu'ils déterminent, et se déclinent comme les adjectifs :

> **můj dům** ma maison, **moje auto** ma voiture

Les pronoms de la troisième personne **jeho** et **jejich** sont invariables tandis que **její** se décline. Ils ne s'accordent pas avec le substantif mais avec le possesseur (comme en anglais) :

> sa maison : **jeho dům** (→ à lui), **její dům** (→ à elle)

Ces pronoms et adjectifs possessifs sont employés lorsque le sujet n'est pas possesseur.

S'il est possesseur, on emploie **svůj**, **svoje**... pour toutes les personnes. Ex :

> mám svůj dům, máš svůj dům...
> j'ai ma maison, tu as ta maison...

mais
> máš muj dům, má tvůj dům...
> tu as ma maison, il a ta maison...

Indéclinables, les **adverbes** se terminent souvent par -o, -e ou -y :
> **dobře** bien, **málo** peu, **česky** en tchèque

Leur comparatif se forme selon le même principe que celui des adjectifs, en ajoutant -eji à la fin du mot, et nej- au début pour le superlatif :
> **rychle** vite → **rychleji (než)** plus vite (que),
> **nejrychleji** le plus vite

Les **verbes** tchèques ont, dans la plupart des cas, deux aspects selon la façon dont on présente l'action. Celle-ci peut être considérée comme en cours de développement ou à répétition (aspect **imperfectif**), ou comme terminée (aspect **perfectif**).

Exemple au passé :
> *imperfectif*   **četl jsem knihu** → je lisais un livre
> *perfectif*   **přečetl jsem knihu** → j'ai fini de lire un livre

Au présent, le verbe ne peut que marquer le déroulement de l'action. De ce fait, le perfectif n'exprime pas le présent, mais le futur :
> *imperfectif*   **píšu dopis** → je suis en train d'écrire une lettre
> *perfectif*   **napíšu dopis** → j'écrirai une lettre

Parfois, le sens du verbe fait qu'il n'a qu'un seul aspect, par exemple l'imperfectif pour **vypadat** (avoir l'air) car l'action est inaccomplie en soi, ou le perfectif pour **najít** (trouver), qui indique une action achevée.
Les verbes perfectifs comportent souvent un préverbe (mais attention, un verbe qui comporte un préverbe n'est pas nécessairement perfectif) : **na-psat** écrire, **u-dělat** faire...

Préverbes fréquents : na-, o-, po-, pře-, s-, u-, vy-, vz-, z-, za-.

Dans le dictionnaire, les verbes tchèques sont présentés dans l'ordre imperfectif/perfectif.

Les verbes tchèques se répartissent en cinq groupes en fonction de la terminaison de la 3ᵉ personne du singulier. Modèles de conjugaison au **présent** :

kupovat acheter → **kup-uje**
kup-**uji**
kup-**uješ**
kup-**uje**
kup-**ujeme**
kup-**ujete**
kup-**ují**

nést porter → **nes-e**
nes-**u**
nes-**eš**
nes-**e**
nes-**eme**
nes-**ete**
nes-**ou**

tisknout presser → **tisk-ne**
tisk-**nu**
tisk-**neš**
tisk-**ne**
tisk-**neme**
tisk-**nete**
tisk-**nou**

dělat faire → **děl-á**
děl-**ám**
děl-**áš**
děl-**á**
děl-**áme**
děl-**áte**
děl-**ají**

prosit prier → **pros-í**
pros-**ím**
pros-**íš**
pros-**í**
pros-**íme**
pros-**íte**
pros-**í**

Les formes négatives s'obtiennent en accolant la particule **ne** au début du verbe :

> **vím** je sais → **nevím** je ne sais pas

Le **futur** peut être exprimé, d'une part, par les verbes perfectifs conjugués au présent (quand on est sûr de la finalité de l'action) et d'autre part, par l'utilisation de l'auxiliaire être au futur suivi d'un verbe imperfectif à l'infinitif. Dans ce cas, l'action s'exprime dans son déroulement ou dans sa répétition :

> **budu číst knihu** → je lirai un livre
> **přečtu knihu** → je lirai un livre dans son intégralité

Les verbes perfectifs ne s'emploient jamais avec l'auxiliaire être au futur (budu).

Le **passé** se forme à l'aide de l'auxiliaire **být** (être) au passé suivi du verbe au **participe passé**. On obtient ce dernier en remplaçant le -t final de l'infinitif par -l :

> **pracova-t** travailler → **pracova-l** travaillé

Le passé fonctionnant toujours avec l'auxiliaire être, le participe s'accorde donc en genre et en nombre. Notez qu'à la 3ᵉ personne (du singulier comme du pluriel), l'auxiliaire ne s'emploie pas :

pracoval *(m)*/pracovala *(f)* **jsem** j'ai travaillé
pracoval *(m)*/pracovala *(f)* **jsi** tu as travaillé
pracoval *(m)*/pracovala *(f)*/pracovalo *(n)* il/elle a travaillé
pracovali *(m pl)*/pracovaly *(f pl)* **jsme** nous avons travaillé
pracovali *(m pl)*/pracovaly *(f pl)* **jste** vous avez travaillé
pracovali *(m pl)*/pracovaly *(f pl)*/pracovala *(n pl)* ils/elles ont travaillé

Participes passés irréguliers :

mít avoir → **měl** eu	**moci** pouvoir → **mohl** pu
chtít vouloir → **chtěl** voulu	**číst** lire → **četl** lu
říct dire → **řekl** dit	

Le **conditionnel** se construit suivant le même principe que le passé, à la différence que l'auxiliaire **být** est conjugué au conditionnel et s'emploie à toutes les personnes :

pracoval *(m)*/pracovala *(f)* **bych**
pracoval *(m)*/pracovala *(f)* **bys**
pracoval *(m)*/pracovala *(f)*/pracovalo *(n)* **by**
pracovali *(m pl)*/pracovaly *(f pl)* **bychom**
pracovali *(m pl)*/pracovaly *(f pl)* **byste**
pracovali *(m pl)*/pracovaly *(f pl)*/pracovala *(n pl)* **by**

Voici quelques **verbes fréquents** :

být être

présent	*futur*	*passé*	*conditionnel*
jsem	budu	byl/a jsem	bych
jsi	budeš	byl/a jsi	bys
je	bude	byl/a/o	by
jsme	budeme	byli/y jsme	bychom
jste	budete	byli/y jste	byste
jsou	budou	byli/y/a	by

Le verbe **být** sert d'auxiliaire pour la formation du futur, du passé et du conditionnel.

mít avoir
présent

mám	*futur :* budu, budeš … mít
máš	*passé :* měl/měla jsem, jsi …
má	*conditionnel :* měl/měla bych, bys …
máme	
máte	
mají	

jít aller à pied
présent

jdu	*futur :* půjdu, půjdeš …
jdeš	*passé :* šel/šla jsem, jsi …, šli jsme …
jde	*conditionnel :* šel/šla bych, bys …, šli bychom …
jdeme	
jdete	
jdou	

jet aller en voiture
présent

jedu	*futur :* pojedu, pojedeš …
jedeš	*passé :* jel/jela jsem, jsi …, jeli jsme …
jede	*conditionnel :* jel/jela bych, bys …, jeli bychom …
jedeme	
jedete	
jedou	

moci pouvoir
présent

můžu	*futur :* budu moci, budeš moci…
můžeš	*passé :* mohl/mohla jsem, mohl/mohla jsi…
může	*conditionnel :* mohl/mohla bych, mohl/mohla bys…
můžeme	
můžete	
můžou	

FÊTES ET JOURS FÉRIÉS

JOURS FÉRIÉS NATIONAUX

Les jours fériés sont appelés **státní svátek** (fête nationale) ou **den pracovního klidu** (jour férié).

1er janvier	**Nový rok** (jour de l'an)
mars ou avril	**Velikonoční neděle** (dimanche de Pâques) et **Velikonoční pondělí** (lundi de Pâques). Suivant une vieille tradition qui se maintient toujours, le lundi de Pâques, les garçons tchèques flagellent les filles qui leur offrent en échange des œufs peints.
1er mai	**Svátek práce** (Fête du travail).
8 mai	**Den osvobození od fašismu**. Célébration de la libération du fascisme.
5 juillet	**Den slovanských věrozvěstů Cyrila a Metoděje**. En souvenir des missionaires slaves Cyrille et Méthode.
6 juillet	**Mistr Jan Hus**. Commémoration de la mort de Jan Hus, réformateur de l'Église, brûlé comme hérétique en 1415.
28 septembre	**Den české státnosti**. Fête nationale où l'on célèbre saint Venceslas, patron du pays tchèque mort en 936.
28 octobre	**Den vzniku samostatného českého státu**. Célébration de la création de la République tchèque en 1918.
17 novembre	**Den boje za svobodu a demokracii**. Commémoration de la lutte pour la liberté et la démocratie en 1989 (renversement du régime communiste).

| 24, 25 et 26 décembre | **Štědrý den** (la veille de Noël), **Hod boží** (Noël) et **Štěpán** (la Saint-Étienne). Fêté en famille autour de la traditionnelle carpe accompagnée d'une salade de pommes de terre (le 24), et autour de l'oie rôtie (à Noël). Pour les fêtes, les Tchèques préparent également une brioche de Noël (**vánočka**) et une multitude de petits gâteaux. |

FÊTES ET FESTIVALS

1er mai	**První máj** : le premier mai est officieusement célébré comme le jour des amoureux.
mai	Festival de musique classique à Prague (**Pražské jaro** le printemps de Prague).
juin/juillet/août	Diverses manifestations culturelles, surtout musicales, sont organisées dans tout le pays. Nombreux festivals en plein air (à **Český Krumlov** notamment).
octobre	Festival de musique classique à Prague (**Pražský podzim** l'automne de Prague).
5 décembre	**Svatý Mikuláš** (veille de la Saint-Nicolas). L'ange, le diable et saint Nicolas passent pour voir si les enfants ont été sages. Ceux-ci doivent réciter une poésie pour recevoir de petits cadeaux.

ADRESSES ET NUMÉROS UTILES

EN FRANCE :

Ambassade de la République tchèque
15, rue Charles Floquet 75007 Paris
Depuis août 2002, l'ambassade a temporairement déménagé :
75, boulevard Haussmann 75008 Paris
Tél : 01 72 76 13 00 / Fax : 01 72 76 13 13
Site Internet : www.mzv.cz/paris
E-mail : paris@embassy.mzv.cz

Centre Tchèque
18, rue Bonaparte 75006 Paris
Tél : 01 53 73 00 22 / Fax : 01 43 29 59 67
Informations et conseils disponibles sur place, du mardi au vendredi de
10h à 18h et le samedi de 14 à 19h.
Site Internet : www.centretcheque.org
E-mail : ccparis@czech.cz

Office national tchèque du tourisme
18, rue Bonaparte 75006 Paris
Téléphone : 01 53 73 00 22
Site Internet : www.visitczechia.cz
Documentation disponible sur place du mardi au vendredi de 13 à 18h et
le samedi de 14h à 19h.

Nous vous conseillons de visiter également le site www.tchequie.net,
destiné à tous les francophones s'intéressant à la République tchèque.

EN BELGIQUE :

Ambassade de la République tchèque
154, avenue Adolphe Buyl 1050 Bruxelles
Tél : 02 641 89 30 / Fax : 02 640 77 94
Site Internet : www.mzv.cz/brussels
E-mail : brussels@embassy.mzv.cz

Centre tchèque
150, avenue Adolphe Buyl 1050 Bruxelles
Tél : 02 641 89 44 / Fax : 02 644 51 21
E-mail : ccbrussels@czech.cz
Site Internet : http://www.czechcenter.be

EN SUISSE :

Ambassade de la République Tchèque
Muristrasse 53, 3006 Bern
Tél : 031 352 36 45/351 11 34 / Fax : 031 352 75 02
Site Internet : www.mzv.cz/bern
E-mail : bern@embassy.mzv.cz

EN REPUBLIQUE TCHÈQUE :

Ambassade de France
Velkopřevorské nám. 2, 118 01 Praha 1
Tél : 251 171 711 / Fax : 251 171 720

Section consulaire
Nosticova 10, 118 01 Praha 1
Tél : 251 171 711 / Fax : 251 171 720
Ouvert du lundi au vendredi de 9h15 à 12h15.

Ambassade de Belgique
Valdštejnská 6, 118 01 Praha 1 - Malá Strana
Tél : 257 533 283 - 287 / Fax : 257 533 750
E-mail : Ambabel-Prague@mbox.vol.cz

Ambassade de Suisse
Pevnostní 7, 162 00 Praha 6
Tél : 220 400 611 / Fax : 224 311 312
E-mail: Vertretung@pra.rep.admin.ch